世紀人物 100

馬不停蹄的霸主

成吉思汗

余知奇　著

三民書局

主編的話

世界上最幸福的孩子，是他們一出生就有機會接近故事書，想想看，那些書中的人物，不論古今中外都來到了眼前，與他們相識，不僅分享了各個人物生活中的點滴，孩子們的想像力也隨著書中的故事情節飛翔。

不論世界如何演變，科技如何發達，孩子一世幸福的起源，仍然來自於父母的影響，如果每一個孩子都能從小在父母親的懷抱中，傾聽故事，共享閱讀之樂，長大後養成了閱讀習慣，這將是一生中享用不盡的財富。

三民書局的劉振強董事長，想必也是一位深信讀書是人生最大財富的人，在讀書人口往下滑落的多元化時代，他仍然堅信讀書的重要，近年來，更不計成本，連續出版了特別為孩子們策劃的兒童文學叢書，從「文學家」、「藝術家」、「音樂家」、「影響世界的人」系列到「童話小天地」、「第一次」系列，至今已出版了近百本，這僅是由筆者主編出版的部分叢書而已，若包括其他兒童詩集及套書，三民書局已出版不下千百種的兒童讀物。

劉董事長也時常感念著，在他困苦貧窮的青少年時期，是書使他堅強向上，在社會普遍困苦，而生活簡陋的年代，也是書成了他最好的良伴，他希望在他的有生之年，分享這份資產，讓下一代可以充分使用，讓親子共讀的親情，源遠流長。

「世紀人物100」系列早就在他的關切中構思著，希望能出版

孩子們喜歡而且一生難忘的好書。近年來筆者放下
一切寫作，接下這份主編重任，並結合海內外有心
兒童文學的作者共同為下一代效力，正是感動於
劉董事長致力文化大業的真誠之心，更欣喜許多志
同道合的朋友，能與我一起為孩子們寫書。

　　「世紀人物100」系列規劃出版一百位人物故事，中外各占五
十人，包括了在歷史上有關文學、藝術、人文、政治與科學等各行
各業有貢獻的人物故事，邀請國內外兒童文學領域專業的學者、作
家同心協力編寫，費時多年，分梯次出版。在越來越多元化的世界
中，每個人都有各自的才華與潛力，每個朝代也都有其可歌可泣的
故事，但是在故事背後所具有的一個共同點，就是每個傳主在困苦
中不屈不撓，令人難忘的經歷，這些經歷經由各作者用心博覽有關
資料，再三推敲求證，再以文學之筆，寫出了有趣而感人的故事。

　　西諺有云：「世界因有各式各樣不同的人群，才更加多采多姿。」
這套書就是以「人」的故事為主旨，不刻意美化傳主，以每一位傳
主的生活經歷為主軸，深入描寫他們成長的環境、家庭教育與童年
生活，深入探索是什麼因素造成了他們與眾不同？是什麼力量驅動
了他們鍥而不捨的毅力？以日常生活中的小故事，來描繪出這些人
物，為什麼能使夢想成真。為了引起小讀者的興趣，特別著重在各
傳主的童年生活描述，希望能引起共鳴。尤其在閱讀這些作品時，
能於心領神會中得到靈感。

　　和一般從外文翻譯出來的偉人傳記所不同的是，此套書的特色

是，由熟悉兒童文學又關心教育的作者用心收集資料，用有趣的故事，融入知識，並以文學之筆，深入淺出寫出適合小朋友與大朋友閱讀的人物傳記。在探討每位人物的內在心理因素之餘，也希望讀者從閱讀中，能激勵出個人內在的潛力和夢想。我相信每個孩子在年少時都會發呆做夢，在他們發呆和做夢的同時，書是他們最私密的好友，在閱讀中，沒有批判和譏諷，卻可隨書中的主人翁，海闊天空一起遨遊，或狂想或計畫，而成為心靈知交，不僅留下年少時，從閱讀中得到的神交良伴（一個回憶），如果能兩代共讀，讀後一起討論，綿綿相傳，留下共同回憶，何嘗不是一幅幸福的親子圖？

2006 年，我們升格成為祖字輩，有一位朋友提了滿滿兩袋的童書相送，一袋給新科父母，一袋給我們。老友是美國國家科學院院士，曾擔任過全美閱讀評估諮議委員，也是一位慈愛的好爺爺，深信閱讀對人生的重要。他很感性的說：「不要以為娃娃聽不懂故事，我的孫兒們一出生就聽我們唸故事書，長大後不僅愛讀書而且想像力豐富，尤其是文字表達能力特別強。」我完全同意，並欣然接受那兩袋最珍貴的禮物。

因為我們同樣都是愛讀書、也深得讀書之樂的人。

謹以此套「世紀人物 100」叢書送給所有愛讀書的孩子和家庭，以及我們的孫兒——石開文，他們都是世界上最幸福的孩子，因為從小有書為伴，與愛同行。

在忙碌的咖啡館工作完後， 來到另外一家咖啡館中， 我總算完成這延宕許久的某位偉人的傳記故事。

大概是對寬闊大草原的期盼吧。在湛藍穹廬下，縱馬奔向毫無邊際的大草原，那是自由。或是在點點星空的夜裡，在酒三大白後引吭高歌，那是豪情。於是我曾經期許自己，長大後第一個旅行的目的地便是蒙古，有別於從小習慣的都市叢林，去蒙古見識真正的遼闊。

結果，大學畢業後，我第一個造訪的地方，是因為工作的關係來到了同樣是城市的馬來西亞首都吉隆坡。不過這是後話了。

一直對蒙古這個地方有著某種幻想，但時常因為淹沒在工作之中而遺忘，然後在某個時節點又再記起。不斷重複這「遺忘、記起又再遺忘」的反覆輪迴，但從不真的遺忘。

也因為自己想去旅行的第一個地方不同於一般人想去的先進美日或典雅歐洲，而是荒涼的蒙古，我懷疑過自己的祖先是不是來自蒙古，或者期盼是。

而且，講個比較殺這文藝調子風景的，高中時曾迷上當年的連線對戰遊戲「世紀帝國」，蒙古是我的「愛用拿手」種族，狂愛那

講究速度騎射打帶跑、來去如風的蒙古突騎。曾用此種族大殺四方，號稱某明星高中校內世紀帝國前三強。這又是題外話了。

所以我毫不猶豫的，選擇了成吉思汗的故事來嘗試撰寫。

即使成吉思汗是個毫不平凡的偉人，但在這篇作品裡，我嘗試將他化作一個與我們一般，有著太多無謂煩惱的平凡人；他並不是個能洞燭機先的天才，而只是個始終秉持著友誼燭光的凡人。他不一定重視人命，但始終重視在自己身邊的情感——友情與愛情。

然後他被時代的巨輪推著走向霸業。這主題是非常悲觀的，因為彷彿訴說著人毫無實現自由意志的可能，再努力也終究抵擋不了環境與時代的宿命。但樂觀的地方是，成吉思汗始終保持他絕不妥協的堅持與童真般的夢想，也因此不斷有許多的貴人在逆境中幫助他，但都是因為他有所為。

譬如札木合，他最好的安答（朋友）。在我所閱讀過的成吉思汗故事中，非常有趣的，就如同許多小說、戲劇的情節一般，成吉思汗也擁有一位亦敵亦友的夥伴。他們曾經感情濃於血的一起成長，卻因某些因素而分別，成為彼此一生最大的敵人，當然最後是由代表正派的主角勝出。那些史料中，都肯定札木合的能力才華，但都描述他因為偏差的作為而走火入魔，最終遭到成吉思汗的正義制裁。

我當然相信每個人的價值觀、想法不同，在歷史中終究得臣服於「勝者為王，敗者為寇」的道理，只是我在這篇重視情感的故事裡，選擇讓札木合成為一個悲劇英雄，他甚至比成吉思汗更有能力與智慧，並不是因為價值偏差所以幻作惡魔，只因為他必須要扮演

那樣的角色。為了他的兄弟與共同的夢想，他一肩扛起所有責難並讓這祕密隨他的死而去，即使日後他依舊得背負被唾棄的悲哀。這種為了兄弟，地獄也去的情操是偉大的，誰教我佛曰：「我不入地獄，誰入地獄。」

　　成吉思汗當然是主角，只是在他面對這位安答時，我讓他成為了一個人生路上受札木合指教的配角。他依舊重視著朋友的情感，在完成夢想後想讓札木合過更好的日子，但或許是札木合固執，也或許他真是有苦說不出，我無法違抗史實安排札木合有更好的結局。因為跟成吉思汗同一時代，他就註定要失敗。我只是在這極度悲觀的前提下，讓札木合擁有了自己選擇死亡的意志，成他所願。

　　札木合死了，對於成吉思汗這麼重視情感的人而言，活著真的比較好嗎？他必須獨自背負著不可違背的朋友遺志，就像他當初背負蒙古人的願望一樣，只是，這將更孤獨更沉重，因為不可說。所以這種壓力讓他變了形，正好接軌到他征服異域的凶殘。

　　直到長春真人的到來，直到長春真人講出札木合這禁忌的名字，讓那不再成為獨守的祕密，成吉思汗才真正解脫。孤獨到底是最恐怖的，能與孤獨相比的或許便是模糊了自己的面目。但往往我們只能從中擇一，不是模糊便是孤獨。

　　因此，我將故事分成了九個章

節，讓他們各自扣著一個主題有自己的樣貌，可以各自成篇，但又前後串連成一個完整的故事。或許筆法還生澀，但這是我想做的努力。

　　我的朋友們，希望在看了這個故事後，即便縱貫全場的主題是悲哀的宿命，但你們可以相信自己與成吉思汗這偉人的距離並不遙遠，我們同樣都不過是在相同時代下努力過活的平凡人，抓著自己的理想拼命去完成它。

寫書的人

余知奇

　　畢業於臺灣大學哲學系。曾經第一志願選擇就讀哲學系，後來卻因緣際會與咖啡館工作結下不解之緣，大學時期只把學生當作副業，真正的工作是優游於咖啡館吧檯。畢業後以經營咖啡館為一生志業，繼續任職於咖啡館，並在某BBS站上擁有一個長期偽裝成咖啡館的個人版，以文字記錄一些亂七八糟的生活札記與工作趣聞，尋自己開心。

馬不停蹄的霸主

成吉思汗

目次

世紀人物
100

成吉思汗

1162～1227

序　章

俺巴孩腦海裡一條回憶的線走到了最末。

親自送女與塔塔爾人聯姻的他，反被陷害押送獻往金國。

金朝皇帝當然不會輕易放過這個未來可能造成威脅的異族首領，並且最好能殺雞儆猴。忿忿不平的俺巴孩在這皇帝面前立下了復仇的誓言：「你快殺了我吧！即使磨盡五指指甲，折斷十指指頭，我子孫的鐵騎也將踏平你最可靠的皇城……」金朝皇帝不屑的一笑後決定命人將俺巴孩釘在木驢*上，接受風吹日曬與眾目

放大鏡 ——— ＊木驢 是一種刑具，釘有橫木以分別固定四肢，並加裝輪軸方便移動與遊街。遊街則多帶有兩種意義：一、給予受刑者精神上的折磨。通常將受刑者的衣物剝光，使之暴露於群眾之前，帶來羞辱感。二、殺雞儆猴之用。讓大眾見此殘忍酷刑，使之不敢犯罪。

睽睽的羞辱。

鐵釘穿過他的手腕、腳踝，血沾滿了木驢與衣衫，一如耶穌被釘在十字架。吭也不吭一聲的俺巴孩牙齒一直毫不鬆懈的緊咬著，渾身帶著憤怒不斷的顫抖。被釘死的身軀不能動，腦裡卻重新走過了一生的回憶。

曾為一個部族首領的輝煌，淪落到今日這般下場，他不禁起了難解的疑惑：「我是做錯了什麼嗎？」

在木驢上七日七夜，痛苦也漸漸麻木。眼中有怒火而不曾闔眼的俺巴孩忽然閉上了眼仰天長笑：「對了對了，一切都對了。」接著唱起了歌。宏亮的歌聲在陰鬱的天空中反覆迴盪著，消失在北方的地平線。

「堅石已碎，深水已涸，時代走馬催促旅人上路，噠噠、噠噠、噠噠……」

1

死亡誕生

離弦，一支箭呼嘯劃破寧靜的漠北草原……

別克帖兒常常仗著身材魁梧不聽鐵木真的命令，甚至搶奪他與弟弟合撒兒好不容易抓來的獵物。鐵木真以兄長及一家之長的身分曾多次訓斥這蠻橫的異母弟弟，但自從父親去世後，別克帖兒越來越不受約束，令鐵木真頭痛不已。

這天，別克帖兒又搶走他們花了一上午辛苦抓來的魚。忍無可忍的鐵木真決定要給他一些懲罰。

「昨日被你搶走一隻雲雀，今日又被你奪走了魚。我怎能與你在一起過活？怎能？」

憤怒的吼聲、俐落的身手，在一句話間，鐵木真已拾起放在

4

河邊的箭筒，拉弓對準別克帖兒搭起了一支箭，這時他才發現目光投注的地方竟是自己的弟弟。

身為慓悍的蒙古人，從小到大每當自己的箭使獵物鮮血揮灑，獲得的是歡愉及長輩的稱讚，那是多麼快樂的一件事。

但這還是鐵木真第一次瞄準了人，老人們常在酒酣耳熱時訴說戰場上的故事，面對敵人時是多麼的激昂，不約而同有種默契如誓約：「當你此生向敵人射出第一箭，他的生死就注定你這一生是否成為英雄。」

何其矛盾何其感慨，鐵木真自小景仰父親馬上的英姿，早就立志要做個如父親一般領導眾人的英雄；但他從沒想到這事關成敗的第一箭，竟是對準自己的親人。

原本對蠻橫的別克帖兒憤怒的拉滿弓弦，鐵木真霎時心中起

了猶豫，他發現箭在自己手上，他可以選擇。千頭萬緒頓時湧上心頭，是英雄？還是要手足的親情？別克帖兒是親人？還是敵人？

在這個關頭上，他感覺拉弦比往常需要更多力氣，弓宛若有千斤重。一股巨大的力量莫名的拉扯著鐵木真的心，劇痛中伴隨著一陣酸麻蔓延，自己誕生的故事忽然從四肢百骸竄上腦海。

那時父親也速該率領著大隊人馬凱旋而歸，也速該身為首領，威風凜凜的接受眾人當頭的讚賞與恭賀，沉浸在勝利的歡愉中。

「主人！主人！夫人生了個兒子呀！」這時他們家忠實的僕人木蘭阿黑遠遠的匆匆跑了上來，手裡抱著一團布包。

也速該還來不及安撫部眾，趕忙下馬，接過了這布包，裡面

有個粉嫩的嬰孩乖巧安靜的睜著明亮的大眼。

看著懷中抱著的孩子，也速該喜悅非常，這是他的第一個孩子。

也速該驚喜中赫然發現，這孩子小手中似乎緊緊握著某個事物，他扳開後發現孩子掌中握著一個形狀怪異的長條血塊，赤紅如蠕動的火。

「哈哈哈哈，是蘇魯錠＊長矛，這必定是蘇魯錠長矛！一個手握蘇魯錠長矛的兒子，勝利握在手中，他以後定會成為一個英雄！這孩子是長生天＊賜來恭賀

放大鏡

＊蘇魯錠　一種有形的聖物，是一柄長矛狀的兵器。特殊的是矛身的底座是一個圓盤狀，沿盤周共有 81 個穿孔，綁著馬鬃垂吊成纓，顯示著神聖的威嚴之勢。後來成為成吉思汗統帥軍隊的戰旗，是蒙古民族的戰神象徵。蒙古至今仍有祭奠蘇魯錠長矛的隆重活動。

＊長生天　當時蒙古族所信奉的宗教是薩滿教，而薩滿教認為，天是長生者，故稱長生天。在薩滿教中，長生天是主宰一切的最高神。

我的勝利，以後我們一定會一直勝戰。為慶祝我們這次的勝利、為慶祝我們以後的勝利、為慶祝我在這可賀的日子裡獲得了第一個兒子，就以我們熬過堅強可敬的抵抗，擄來的敵將為我兒子命名吧。從今以後，這孩子就叫做鐵木真。鐵木真！」也速該高高舉起了嬰孩，向眾人呼告。

「鐵木真！鐵木真！鐵木真！……」大家精神抖擻的叫喊著。

鐵木真就這樣獲得了他似乎帶來勝利的生命及名字。

當鐵木真沉浸在對自己誕生的冥想時，忽然驚訝手中的箭已經不見。

箭是離弦了。搭起的箭終究出發了，像一陣風哭泣又冷笑，尖銳的刺入了別克帖兒柔軟的心窩，一箭斃命。

一旁合撒兒因向來沉默冷靜

的鐵木真哥哥從未暴怒如斯，而早在那晴天霹靂的怒吼時便嚇呆了，直到瞧見別克帖兒動也不動的身軀，才突然清醒過來。他彷彿清晰的看見箭的軌跡像慢動作一般飛越草原，停在另一個人的胸膛上。這突如其來的變化竟是如此遲緩巨大，卻又如此短暫輕易。

「是箭殺了別克帖兒，是箭。」合撒兒霎時似乎了解了箭存在的目的，箭是長生天造來召回人命的。

鐵木真想不起來到底發生了什麼事，他不知道箭是如何射出的。是想殺了自己的弟弟，還是想放了他？

「我不知道！我不知道！我不知道！我做了決定嗎？我選擇了嗎？」鐵木真的疑惑越來越多，只知道事實是確定發生了的：「是我殺了別克帖兒……」

可悲的是，假如老人們說的是真的，鐵木真將會因為殺了自己的弟弟，而成為一個英雄。

這時，母親訶額侖忽然出現在河邊的小丘上，她氣急敗壞的衝到鐵木真面前，搶過在鐵木真顫抖無力的手上的弓，狠狠的一鞭一鞭打在他的身上。

「你這瘋狂的禽獸，握著赤血塊從我的熱肚皮裡生出，冷血的吃掉自己的兄弟。像齒咬胸肋的黑狗、像怒搏影子的猛獸般愚蠢；像生吞生物的大蟒、像齜牙咧嘴的豺狼般殘酷。你除影子外沒有朋友，除尾巴外沒有鞭子。你這逆子，你怎麼可以做出這種事情來？看我打死你這不肖的傢伙！」

訶額侖一邊重重的揮下手中的弓，一邊發狂似的怒斥鐵木真。

如鞭的弓打得鐵木真皮開肉

綻，他卻一點都感受不到痛。只是不發一語，呆滯的眼神不知望向何方，心思依舊沉浸在疑惑之中。

儘管身旁母親如雷的怒罵、如雨的哭泣，河水潺潺流著的聲響、風無情的狼嚎……這麼多的聲音中，他卻感到空前的寧靜，天地之間除了他的疑惑外，別無他物。

就像他出生時，眾人高聲喊著他的名字，他也感到寧靜。

當天夜晚，鐵木真失眠了。外在的無聲更襯出他內心思緒的萬馬奔騰。他在回憶起自己出生的同時，也第一次親眼目睹了死亡的過程──他親手殺死了自己的弟弟。有人生有人死，生死輪迴。

「別克帖兒死了，那父親是怎麼死的呢？」鐵木真開始拼湊起零碎的記憶。

　　九歲那一年，父親也速該忽然說要帶他去娶新娘＊，兩人騎著馬離開了他熟悉的地方。一路上他瞧見陌生世界，沒見過的風景、動物，既害怕又興奮。父親總是巨細靡遺的教導他名稱、還有在草原上生活的技能。那段旅程是如此快樂，這樣一段長的時間可以獨占父親而不需要跟別人分享。

　　當他們行到某山腳下時，忽然遇到父親的一位舊識——弘吉拉部的首領德薛禪。

　　德薛禪問道：「也速該呀，你們往哪裡去呢？」

　　「我帶著鐵木真往他母舅家去求婚呢。」

　　「我看看這孩子。」德薛禪打量著他，目光停留在他的臉龐。剎那間德薛禪以凶殘凌厲如惡狼的眼光瞪了他一眼，他是嚇著了，但依舊沉默的注視著德薛禪

的兩眼之間。德薛禪收斂起眼神，和善的對著也速該笑道：「很好。也速該，你真有福氣，這孩子像你，眼中有火、臉上有光。」接著又說：「不瞞你說，我昨夜做了一個夢。夢見海青鳥＊兩爪攫著日與月飛來，放在我的雙手上。你帶著鐵木真來正是應了我的夢呀。我有一個今年十歲的小女兒，叫做孛兒帖，不如你們來我家看看吧。」說完便領著也速該二人往家中去。

孛兒帖出現時，整個人容光煥發，態度落落大方，眼神溫柔但眉宇之間隱隱有股堅毅的神情。也速該很滿意孛兒帖的容貌，第二天早上就向德薛禪正式

訂下婚約。約定留下鐵木真在這住上一年後，便帶著笑容出發回家。

「我知道你的寂寞。」那是孛兒帖對鐵木真所說的第一句話。他有家人、有朋友、有諄諄教誨的長輩，但他的確是如此寂寞的追尋著父親的背影，寂寞的扮演著長子的角色。

後來幾個晚上他們多次交談，每每出現從沒人這麼認真的對他說過的普通話語，令他驚喜不已，彷彿連母親都沒這麼了解他。他不希望讓眼前的這位姑娘離開。他想著，過完這一年就可以將孛兒帖娶回部落，終其一生都不會分離，兩人可以騎著同一匹馬，放牧著牛羊、看太陽在西邊落下，想到這他就不禁開心了起來。

幾天後，他跟孛兒帖在湖邊靜靜坐著，遠遠望見一人騎著一

匹黑馬迅馳奔來，是父親的親信蒙力克。幾天來獨自生活在他鄉，見到這故人時是多麼的興奮，他不假思索便高高舉手打起招呼。可是只看到蒙力克眼神微微向他示意，卻絲毫沒有減速的越過兩人直奔營地，下馬後匆匆進了德薛禪的蒙古包，沒一會兒功夫，又急急忙忙跨上了馬朝著他衝來，大喊著：「鐵木真，快伸出你的手！」他還搞不清楚狀況，只得聽話的伸出他的手。蒙力克毫不停歇的拉住他，一個俐落動作翻身便將他拉上馬，往家鄉的方向一路馳騁。

他回頭望著那陪伴他數天的孛兒帖，這位堅毅卻又溫柔的姑娘臉上掛著從來沒有過的落寞與不捨，還有疑惑。他忽然覺得那表情反倒像是自己的。而逐漸變小的身影終究消失在地平線那一端，只遠遠傳來悠長的歌聲：「堅

石已碎，深水已涸，時代走馬催促旅人上路，噠噠、噠噠、噠噠……」

在地平線另一端等著他的是父親逝世的噩耗，他只見到父親冰冷僵直的身軀與面容。蒙力克說父親在歸途中參加塔塔爾部的宴會，結果卻被下藥毒害，苦撐三天強忍著痛苦趕回家，急忙召來蒙力克命其接回鐵木真後，便倒下了。

他趕不及見父親最後一面。

事情總是這樣，還搞不清楚狀況就不可抗拒的在你面前發生。父親死了，別克帖兒死了，然後生活就起了劇變。

也速該死後，部眾一哄而散。與也速該不合的泰赤兀人領袖帶走了所有的部眾遷徙到他處謀生，故意拋下了訶額侖、鐵木真一家。母親帶著一家人艱困的在荒山野郊生活，採拾果子、挖

掘草根為食，偶爾捕捉到土撥鼠加菜。

　　那是他們最困苦的日子。但他們仍依著不兒罕山殘活下來，為了向毒害父親的塔塔爾人復仇、為了報復泰赤兀人的壓迫，鐵木真等待著。

　　想到這，鐵木真很想找個人訴說這種苦楚，可是親上加親的弟妹們尚且年幼，不會了解家中長子所肩負的，他又怎敢對才大發雷霆的母親說呢？漸漸的，還是將一切都交付在逐漸昏睡的意識中吧。

2 重複的路途

　　有時候我們會驚訝於人生的過程是如此的相似，彷彿落入一個窠臼一樣不斷的重複，像是一個魔咒。

　　這一天，鐵木真眼睜睜的看著馬賊盜走家裡的八匹慘白色騙馬。直到太陽西沉，外出打獵的別勒古台才牽著最後一匹黃馬回來。鐵木真趕緊背著武器與行囊跨上馬背，吩咐著弟妹們：「你們照顧好母親，我去把馬追回來。」說完便循著草蹤追趕而去。

　　日出日落日出日落，他時而加快速度奔馳、時而放慢馬蹄讓馬兒喘息，在一望無際的茫茫草原上趕著。有時候他心急的思索那些馬賊會往哪個方向跑，有時候也因始終見不到那些人的蹤跡而感到疲憊。

　　這是一段不知道方向的追尋，只憑著直覺追著。就像他一直想要重振父親的威名，召回原來的部眾一般，只抱著夢想卻又不知如何實現。

　　迎著落日的餘暉，鐵木真有時甚至疑惑著：自己到底在追尋什麼？

　　這種時刻最容易讓人感到寂寞，內心裡無數個困惑沒有解答，無處宣洩，只有獨自一人承受。這幾天來，草原上見不著任何一戶人家，彷彿天地間只剩下一人一馬，沒有人伸出援手。鐵木真忽然覺得這種無助的孤寂感似曾相識。

　　就在此時，他遇上了一個正在擠馬奶的少年，少年除了告知他疑似馬賊的蹤跡外，還牽過一匹馬來要他換上，熱切的丟下手邊的工作，自告奮勇要跟他一起去尋找他失竊的馬群。

　　兩天後他們終於發現了馬賊，鐵木真對著那少年說：「裡邊太危險了，天黑後，你在這邊等我，我去把馬兒偷偷趕過來。」少年回道：「朋友，我本來就是為幫你而來，你卻要我這時袖手旁觀？兩人同行若有危險，尚得以互相照料，總好過一人獨涉險境。要去就一起去！」這句話讓鐵木真愣住了，眼角卻不禁偷偷的露出笑意：「好兄弟。」

　　於是兩人摸黑靠近了馬賊的營區趕出了那八匹馬，悄悄的慢步走到一段距離外正要加速逃離時，卻發現馬賊們一起策馬來追，其中一人迅速的接近了鐵木真二人。少年急忙對著鐵木真說：「快給我箭矢，我來射倒他。」

「我已經很感激你伴我而來，但有些事畢竟還是我自己該做的，你領著馬快跑，我來擋他。」說完鐵木真回馬面對追來的那個人，

搭起了弓矢。追來的人以為只是馬群逃散，沒帶任何武器而只拿了一枝套馬長竿，這時發覺彎弓對準了自己，立刻勒馬停步並揮手制止其他馬賊們的追擊。趁這時鐵木真急忙逃逸而去。

與少年會合後，兩人沉默的對望，發現對方一臉驚恐，不覺得哈哈大笑。一笑對方有趣的表情，二笑行動的成功。

「好兄弟！」

「嗯！好兄弟！」鐵木真非常感激少年的幫忙，頓了一頓說：「若不是你相助，我也找不回這八匹馬，我們就平分吧！」

「朋友，我很欣賞你，但你這樣說也未免小看我了。義所當為毅然為之，盜馬賊人人厭惡，我只是做我該做的，並非貪圖利益而來。我不會收你這些馬的，你若想報答我，就每天祈禱這草原上不再有盜馬賊吧……」

「好！」鐵木真伸出手：「我叫做鐵木真。」

「我叫博爾朮。」太陽漸漸升起，八四馬追隨著兩人的坐騎，曙光灑在兩人相握的手上……

回程的路不趕，天黑後兩人生了堆火，倚著馬躺下歇息。火光搖曳中，鐵木真感到有某種思緒也在燃燒。

「博爾朮，你知道嗎？這次的路途讓我想起一些事。」他忽然說出口。

「喔？」

「想起我之前被泰赤兀人抓去的那些事……」鐵木真一邊回憶一邊說著。

不久前，他們一家人也是這樣孤單困苦，拮据的依著不兒罕山生活。

「你知道嗎？我衷心的期盼著，或許有那麼一天會有父親的朋友帶著誠摯的笑容與羊群，出

現在草原的那一頭來幫助我們。但日復一日，草原依然無邊無際，甚至最後出現的是來抓我的泰赤兀人，你說好不好笑？哈。」鐵木真一聲乾笑。

　　那時的記憶還如此的鮮明。他還記得別勒古台依著山林趕忙搭起了藩寨、合撒兒彎弓射倒了最先衝上來的兩個泰赤兀壯漢。敵人的攻勢稍止之後，母親要他牽著馬逃到更高更深的山林裡。

　　顧忌著森林的茂密，泰赤兀人沒有進行大規模的搜索行動。鐵木真找了個隱密的角落躲藏著，九天九夜。他曾兩次耐不住飢餓想要走出這座沒有食物的寒山，但第一次馬鞍卻無故翻落，第二次有顆白色的巨石從天而降擋住森林的出口，總是有神啟般的事件突然發生改變了他的計畫，像是一種將有危險的警示。可笑的是，當他第三次走出森林

27

沒遇上任何「長生天的阻攔」，他還是被泰赤兀人抓住了。

「你說，這就是命運的捉弄嗎？」鐵木真每說一段故事總穿插著一段似乎詼諧的疑惑。「我剛走出森林時，暈眩的雙眼在溫柔和煦的陽光下見到憧憧人影，我還以為我得救了。」

「結果是泰赤兀人。」博爾朮接道。

「然後我就無望的被押著走在草原上。那種孤單無助的感覺就如同這次我在遇上你之前一般。雖然這次是自願的，但我還是不得不來。」

「嗯……因為那八匹馬是你家僅存不多的財產。」

那時，他的雙手被緊緊的綑綁在木枷上，躺在一個蒙古包中，外面已是夜晚，熱鬧非凡似乎在舉行慶典。鐵木真藉機打昏了看守他的人，偷偷逃離了泰赤

兀人的營地。面對一望無際的原野，哪裡有藏身之處？他靈機一動跳進河裡，用木枷作為浮木，只露出臉與鼻孔。不久後果然有數陣騷動與急促的馬蹄聲往草原而去。他正鬆了一口氣，卻突然有輕慢的腳步聲靠近。

一個面目黝黑的老人出現在面前，對著他微笑道：「你別擔心，我的名字是鎖兒罕失剌。你有才能所以泰赤兀人忌妒你，你就這樣藏著吧。」尋不著人而折返的泰赤兀人遠遠的正商討著搜尋的辦法，鎖兒罕失剌湊了過去說：「伸手不見五指的黑夜裡，一個帶枷的人能跑多遠？明天視線良好的白日再好好的找吧。」就這樣勸離了追兵。老人再度回到河邊，將全身溼淋淋的鐵木真帶回了家中。

鎖兒罕失剌有三個兒女，長子沈白與次子赤老溫合力幫鐵木

真把木枷卸下，么女合答安則弄來一些食物與衣物，疲累不堪的他在餐後沉沉睡去。不知多久，被合答安急忙喚醒，領著一起躲進羊毛堆中。在羊毛堆中鐵木真聽見外邊有吵雜的聲音，是泰赤兀人覺得有人窩藏他所以逐家搜查。在一陣翻箱倒櫃後，那群人聲聚集在羊毛堆前。

「只剩這裡了。」

「搜！」某人下令。

羊毛堆被翻動了兩下，忽然聽到鎖兒罕失剌的聲音說：「愚蠢，省省力氣吧。這麼個大熱天，躲在羊毛堆中不悶死也被熱死了。」

「也對，走吧，下一家是哪？」吵雜的人群聲漸漸遠去。

等到泰赤兀人遠去，鐵木真與合答安從羊毛堆中爬出。鎖兒罕失剌老人命赤老溫牽來一匹馬，合答安又取來一隻羔羊腿、

一壺馬奶酒＊叫鐵木真帶上。鎖兒罕失剌說：「快走吧！快去找你的家人們。不要再回來，我差點被你害慘了。」

「您的大恩大德我要如何報答？」鐵木真翻身上了馬問道。

老人揮了揮手，轉身而去沒再說什麼。

「好吧，我會永遠記得你們家的恩惠，願有機會再來報答。」說完即駕著馬遠去。

「難怪你會想起這些事，與這次實在相像，雖然還是有許多差異。就像你都是被迫上路，只是前次是被押解，這次卻是得去追回你的馬。」博爾朮若有所思的說。

「你能夠體會真是太好了。

放大鏡

＊馬奶酒　蒙古人把馬奶酒作為最重要最好的飲料，元朝宮廷和蒙古諸王都有一批專門製造馬奶酒的人，所製的馬奶酒除自飲外，還在舉行宴會、款待客人、賞賜臣屬和祭祀時使用。

兩次經歷真是有太多雷同之處。」

　「就像你一樣是偷偷摸摸的從敵營中出來。」博爾朮開了玩笑。

　「是呀。哈哈哈哈……」兩人同時大笑了起來，合拍的似有極深的默契。

　次日他們回到了博爾朮的營地，他父親焦急擔心的大罵：「你到底去哪了？一點消息也沒有！」博爾朮花了一些時間向父親解釋了經過。聽完，博爾朮的父親仔細打量了鐵木真，說：「兒子呀，你能結識這樣的人是你的福氣。你們以後要成為終生彼此照應的好朋友。嗯……那你現在呢？」最後一句話是對著鐵木真說的。

　「我該上路了，別讓母親擔心太久。」

　「嗯嗯，那就不留你了。兒子，那你送他一程吧。」

　兩人又再度趕著馬上路。依

稀聽見這時營地裡傳來歌聲:「堅石已碎，深水已涸，時代走馬催促旅人上路，噠噠、噠噠、噠噠……」

一路上兩人一直沉默著，直到一里路外，博爾朮才說:「我該回頭了。我真的很想再跟你多聊聊，可惜時間總過得太快。」兩人下馬一個胸膛對胸膛的擁抱後道別。

「記得，你以後要是有需要，一句話我就會到。」博爾朮騎馬遠去後回頭大喊，聲音迴盪在原野上，深深鑽進鐵木真的心窩。

3 生聚生離

　　有一顆種子已經萌芽，它在不知不覺中變得巨大非常。

　　當這顆種子種下時，鐵木真還意識到它的存在，但漸漸忽略。這顆種子卻不因為它沒被注意到而消失，反而默默的伸出它的枝枒。等到鐵木真再次意識到它的存在，已經如此茁壯至無法漠視。

　　它盤根錯節，錯綜的藤蔓交纏著鐵木真的心，有時使得他心揪了一下，劇痛後又有如服毒般麻癢酸澀。鐵木真開始奮力的在回憶中尋找這顆種子種下的時間點，還有到底是誰種下的。

　　最後，他發現是孛兒帖，那個九歲時父親帶他去訂親所遇見的女孩，那個曾經對他說「我知道你的寂寞」的女孩。

在他發現後，藤蔓更明顯更頻繁的糾結。但除此之外，他也不時感到回憶那段美好的甜蜜，但這也彷彿使得那酸楚痛苦更加劇烈。

「她還在嗎？我這麼久沒找她，她是否嫁人了？」鐵木真不禁這樣想著。他想起兩人在草原上追逐嬉戲時那麼快樂，他想起在他被急忙接走時孛兒帖臉上的落寞不捨及疑惑，他後悔他居然沒有留下任何話語，留下像「等我，我會再回來」這樣的承諾。

「不行，我不行失去她。就算沒有父親婚約的許諾，我也需要她。」愈想思念愈烈，他下了決心：我得去找她，如果她還沒嫁人我就將她娶回來。「好，明天我就去。」隔天天還沒亮，他就帶著弟弟別勒古台出發。

一路上的寧靜反倒襯出他思緒的混亂，鐵木真一會兒想著孛

兒帖，一會兒思量著要如何提出婚約，一會兒又想著要是李兒帖已經嫁人要怎麼辦？臉上一下痴笑不停，一下愁容滿面，一下又眉頭深鎖，看得一旁的別勒古台百思不解，以為哥哥染上了什麼怪病。

終於兩人到了目的地，李兒帖的父親德薛禪見到鐵木真的前來喜出望外，直邀請鐵木真與別勒古台進帳，準備了茶水小點。

「鐵木真呀，瞧你已長成一個健壯的男子漢了，當年那個稚嫩的孩兒彷彿還在我眼前，時間過得真是快，你看我都這麼老了……你之前被泰赤兀人擄去，獨自一人逃了出來，這件事早已傳遍整個草原，真不愧是也速該的兒子……」德薛禪絮絮叨叨的話語似乎沒有終止之時，雖說這些恭維的話不禁令年輕的鐵木真飄飄然，但心不在此的他，只是對

可能的岳父大人不敢失了禮數的應著聲。

鐵木真心急如焚，漸漸對那些無趣的話題感到不耐，心底只想著怎的沒見到孛兒帖？倏的起身走出蒙古包，留下錯愕的德薛禪與別勒古台。

跨出了門幕，鐵木真低頭悶悶的往前走了幾步，慢慢轉過身，望著這既陌生又熟悉的蒙古包發呆。

一切好像都是從這邊開始的，短短數天卻似有著無盡的回憶，他就是在這帳外第一次見到孛兒帖。那時父親帶著他來到帳前，德薛禪從蒙古包內帶出一個眉宇間透著堅毅的小女孩。「她就是我的女兒，她叫做孛兒帖。」那是他當時所見過最不一樣的一位女孩。比起父親部眾裡女孩的熱情，孛兒帖容貌出凡的美麗，沉默中似乎透著端莊，也多了一

點奇妙的距離。

　　他繞著蒙古包慢慢走著，有時像是要起跑一樣踮了兩步又停了下來。他想起那時玩心甚重的他對著孛兒帖喊著：「妳來追我呀！」然後就繞著蒙古包跑，可是孛兒帖並沒有像他一樣跑，而是緩緩往另一個方向走，等著鐵木真衝到她面前時說：「我追到你了。」那時的他對她真覺得好氣又好笑。

　　他見到了羊群。想起那幾天幫忙德薛禪家，日出的時候領著羊群去吃草，孛兒帖陪著他；午後帶著羊群去飲水，孛兒帖陪著他；傍晚擠著羊奶，孛兒帖也陪著他。他想起孛兒帖話很少，大多的時間裡，草原上依然是一片寂靜，只偶爾傳來羊叫聲，雖然兩個人一起牧著羊，但有時他甚至懷疑這位女孩是否真的存在。但她總是在，每每一回頭他就看

到她。

他看到了馬頭琴*。想起那時晚上用完晚餐後，在火光中德薛禪總喝著一點酒，拉起馬頭琴唱著歌。第一天晚上他走得遠遠的，藏身在深深的漆黑裡。良久，忽然見到字兒帖站在他身旁。「我知道你的寂寞。」她說，令他驚愕不已，他搞不清楚是因為那是第一次聽到她的聲音？還是因為彷彿被看透。有股炙熱便要衝口而出，但他硬是壓抑了下來，只回頭對這還不熟的女孩微微一笑。後來的幾個夜晚鐵木真卻慢慢的開啟了話匣，將深藏的炙熱緩緩的向字兒帖吐出。「我

放大鏡

*馬頭琴　為一種具有濃郁蒙古族民間特色和悠久歷史的拉弦樂器，因琴桿上端雕有馬頭而得名。關於馬頭琴還有一個動人的傳說：在一次慶典賽馬中，牧人蘇和騎的小白馬贏了比賽，惹得王爺嫉妒而殺害了小白馬。蘇和因思念小白馬而日夜憂傷。小白馬於是託夢告訴蘇和，用木頭與馬尾做一把琴，並將牠的形象刻於琴頭上。從此馬頭琴便在草原上傳開了。

懂。」「其實你用不著這樣。」「湖水依舊，草依舊，你也依舊。」孛兒帖回的話總是簡單卻似乎富含深意，令他懷念不已。

最後他走到湖邊，那個他被急急接走不及道別的湖邊。

一個姑娘獨自坐在那裡，眼似有神似無神的望向湖的另一邊。見到此景，鐵木真原本因回憶而翻攪的甜美酸楚與焦慮不安沉靜了下來。悄悄的走近，停在那姑娘的身邊。

「孛兒帖。」

「我等你好久了。」

「讓妳久等了。」

這時姑娘才轉過了頭，與鐵木真四目相望，兩人宛如變成兩尊石像，一個站著低著頭、一個坐著仰著頭，大地再度靜瑟良久。

直到德薛禪走近打破了沉默：「鐵木真。」石像這才回過了

頭。

「德薛禪伯父，其實……」

「我知道我知道。」德薛禪打斷了鐵木真的話頭，微笑道：「婚約依舊，一如誓言堅如石。我也正等著你的前來，我想我當年的夢不是做假的。」

翌日，孛兒帖隨同鐵木真一起返家，完成了宛如天訂良緣的婚禮，鐵木真總算是接回了他的妻子。孛兒帖的母親此番也一同前往，說是要好好拜會親家母訶額侖。

數天後，孛兒帖的母親手持一件黑貂皮襖拜會了鐵木真的母親訶額侖：「在此叨擾數日，是我該回去的時候了。這點小意思不成敬意，還望您收下吧。」

訶額侖見這件黑貂皮襖皮澤柔亮看似沉重，但在對方手上輕似無物，想來必是稀有無價的珍品。

「這怎麼好意思？」

「您別拒絕我，依照習俗孛兒帖在初次拜會親家母時就該獻上了。且德薛禪千萬交代這件禮物必定要請您收下，他說這東西將有極大的幫助，對你們一家及蒙古的未來都是。他只是順長生天的意志託我帶來而已。」

訶額侖只覺這番客套話既提上了習俗又指明是蒙古人虔誠信奉的長生天，說得直讓她無法拒絕，只得深深謝過並命鐵木真親自護送親家母回家。

日子一天天過去，鐵木真原本的徬徨不安在孛兒帖的陪伴下似乎已不復存在，他開始專心思索如何才能重建父親的榮耀。腦袋裡閃過無數個想法，但總覺得不切實際，他需要具建設性的建議。第一時間就想到了博爾求，他一定可以了解自己在想什麼。

於是他遣弟弟別勒古台前去

邀請博爾朮。這次博爾朮也同前次一般連知會父親都沒有就爽快的匆匆來到了鐵木真的身邊。鐵木真見到博爾朮欣喜不已，熱情的擁抱後便邀他入帳，對飲馬奶酒，開啟了關於父業的話題。

訶額侖正巧經過帳外，無意間聽到了他們談話的內容。暗暗欣喜於昨日彷彿還如雛鳥的孩子，已經漸漸有了丈夫也速該的雄心，但聽到兩個年輕人的談話，有如建空中堡壘般的空談也不禁莞爾。

忽然一句話在她心頭響起，李兒帖母親離去前說的那句話。

訶額侖走進帳篷對著鐵木真說：「我的兒呀，你還記得親家母送我的那件黑貂皮襖嗎？你拿了去獻給你父親的安答＊王汗，祈求他的幫助吧。」

＊安答　即結義兄弟。

「母親……您帶著我們受苦這麼久，吃不飽穿不暖，我向來慚愧沒能報答您什麼。那件皮襖如此難得，您還是留著吧……」

「粗衣粗食早就習慣了，你母親我有叫過一聲苦嗎？這麼多天來你有看過我穿它一次嗎？這衣服我還穿不慣呢。鐵木真呀，父仇未報大業未成，我怎能有享福之心？有些事比我們自己的生活還重要。」

「這……這……」鐵木真好生為難。

「別掛心我了，你的孝心我清楚。但若能見到你報得大仇，能像你父親一樣騎著馬威風凜凜的領著部眾，那我也算了了一樁心願……這件皮襖若能助你完成這些事，不是比穿在我身上更值得嗎？」

「唉！母親您說的是……」

於是鐵木真偕同弟弟合撒兒

及別勒古台，前往拜會草原上最強大的部落首領王汗。在這位父親的安答面前鐵木真以父禮相敬，並獻上珍貴的黑貂皮襖。此舉令王汗大喜，答允保護鐵木真的部眾且還要助其召回原來依附於也速該的人群。

寧靜的生活過了沒多久，安詳的天地間忽然遠遠傳來噠噠噠噠的噪音，如瞬間強暴了草原的耳朵一般，黃土為之震動。這噪音來勢洶洶不懷好意，鐵木真等人以為泰赤兀人又來了，只得命眾人分散逃亡，以拖延泰赤兀人追擊的時間，並迅速的躲藏到不兒罕山裡尋求再一次的庇護。在山裡的鐵木真依然注視著敵人的動向，他發現這些人不是泰赤兀人而是篾兒乞人。

等到敵人退卻之後，眾人回到約定地會合，這時鐵木真發現少了他們忠心的家僕豁阿黑臣、

別勒古台的母親，而且遲遲不見孛兒帖的蹤影。合撒兒說:「我記得他們是走同一路的，定是給篾兒乞人給擄了去。」

「孛兒帖!」「母親!」鐵木真與別勒古台同時驚呼。

「篾兒乞人擄去孛兒帖幹嘛?有事衝著我來就好了，冤有頭債有主。」鐵木真失控的大喊著，臉上焦急、無措、懊悔的表情不住的變化。

「是了是了，定是因為找不著逃走的我，所以擄走我的妻以資報復。要是我沒逃走就好了，有本事全都衝著我來就好了。都是我的錯，全都是我的錯!我又要失去她了。」好不容易尋回一個得以安穩的支持卻頓時消失了，鐵木真腦裡一瞬間閃過孛兒帖美麗的笑容與慧黠的字字珠璣，那一切好似不再，所有的美好都將成為過去式，未來也不可能美好。

「可我與篾兒乞人又有何冤仇？為何他們要這樣報復我？是不是我威脅到他們了？我汲汲營營的想恢復父親大業，卻因此失去最重要的人，那我還想要做什麼？」除了無以復加的自責，剎那間太多的疑惑也一起湧上鐵木真的心頭。

「啊……」他跪倒著對天邊哭喊，眼淚鼻涕情緒一時全部傾洩而出，那個總是冷靜的鐵木真、那連父親逝世時都沒滴過一滴眼淚的鐵木真消失無蹤。此景象看得弟妹們與母親訶額侖心驚不已，他們從未見過這樣的兄長與兒子。

「冷靜！冷靜呀我兒……」訶額侖也哭叫了出來：「這不是你的錯，是我的錯。有些事我以為能隱瞞你一輩子，這件事情就成為逝去的過去。可長生天似乎注定要讓你知道，我們一家與篾兒

乞人的恩怨，甚至關於你的身世。都是因為我……」

「當年，我剛嫁給箴兒乞人也客赤列都。回程的路上，一路平靜，也客赤列都待我很好，我們沉浸在新婚的歡喜之中。某天卻望見你父親也速該威風凜凜的立在山頭，身旁帶著他的哥哥與弟弟。我與他四目相交，便知大事不妙。果然，三人舉起馬刀衝殺過來。那時也速該名氣已經很大，也客赤列都見狀嚇得腿都軟了，騎乘的馬感受到他的怯意，剎時腳步亂顛。我念著他的安危，便交給他一件我的衣衫叫他先逃命去吧，此生有緣再相聚……」

「別再說了……」鐵木真說。

「也速該三人追趕也客赤列都越過了七個山頭，最終還是讓他逃走了。我原本傷心的想一死

了之以示我忠貞之心，但也速該的弟弟勸阻了我，且也速該的面容不凡、渾身散發著英雄氣，對比也客赤列都落荒而逃讓我起了報復心態。於是我嫁給了也速該為妻，生下了你……」

「我叫妳別再說了！」鐵木真雙手緊握住詞額侖的臂膀大喊。

「我想篾兒乞人是因此事來報當年的恩怨。」

「所以我……所以我的父親到底是誰？」

「我……我不確定。我想是也速該。」

「真是太好了，哈！今天我失去了心愛的妻子，又變成了一個不知身世的雜種。還有什麼？乾脆一起告訴我吧，聽完我就孤身殺進篾兒乞部，跟孛兒帖死在一起。」

「我兒呀……別這樣，你眼神像也速該、你有也速該的氣

量。你如真愛孛兒帖就不該死在她面前讓她傷心，悲劇還沒鑄成，你去祈求你義父王汗的協助吧，再次把孛兒帖尋回來……完成一番事業，好好的做也速該的好兒子，沒有人會認為你是篾兒乞人的……」雖然鐵木真百感交集，但訶額侖提到奪回孛兒帖的方法，不啻給了絕望的他一絲希望。

「……哼，好，我這就去找王汗。」鐵木真稍稍冷靜了下來：「不過我只為了孛兒帖，那一點都不關乎我是誰的兒子！」

4 誓言與預言

　　鐵木真帶著合撒兒與別勒古台再次前往拜會王汗，心裡盼望這位具有強大力量的首領，能夠給予他們協助，實踐當初許下的誓言。

　　當年鐵木真的父親也速該曾幫助王汗取得克列亦惕部的汗位，並結為安答。所以上次鐵木真來獻黑貂皮襖時，稱王汗為義父，王汗並高興的立誓說：「必將為我兒召回該是他的。」果不其然，這位具有相當威權的王汗信守了他的誓言，答允派兵協助鐵木真奪回孛兒帖。

　　「在我當初說出那誓言時，就已注定今日之行。」王汗說，並建議鐵木真邀請另一個強大的部族箚答闌部一同出兵，他說那首領是他的義弟，必不會拒絕。

鐵木真夥同兩位弟弟來到箚答闌部，想起一位他小時候在父親面前結拜過的安答也是箚答闌人，盤算著想趁機尋找這位好友敘舊。待三人來到首領的議事帳裡，鐵木真一眼望見坐在最高位的那人，面熟的驚奇。

「札木合！」「鐵木真！」兩人幾乎是一起叫出聲。

那人迅速的從位子上跳了下來，與鐵木真熱情的擁抱，在肢體中似乎還透露著久違的快慰。

「我知道你長大後必然是個不得了的英雄人物，但始終沒想到你這麼快就當上了部落之首，擁有如此強健壯碩的勇士們！如此倒是我小覷你了，好安答。」

「好安答！想想離我們初識已有好些年了，我若問你別來無恙就顯得太虛假。無事不登三寶殿，這麼久不見你的消息，此次前來必有需要我幫助的地方，直

說吧！做兄弟的赴湯蹈火在所不惜。」這位年輕的首領札木合說，於是鐵木真便把事情的來龍去脈告知與這位安答聽。

「怎會有這種事？你放心，就算沒有王汗我也必定會助你。你還記得當初我們義結金蘭的誓言嗎？就憑那些話，不助你奪回妻子我便不是箟答闌勇士。」札木合義憤填膺的拍桌大聲道：「箟答闌的勇士們，舉起你的刀朝向不仁的篾兒乞人，廝殺的時候到了！」

帳內原本靜坐不語的眾人霎時拔出刀來齊聲呼吼，聲勢壯闊，讓鐵木真暗暗欽羨佩服。

三部首領共同推舉年輕的札木合擔任這次行動的統帥，在機敏富有謀略的札木合帶領下，眾人成功的以迅速的奇襲戰術攻入篾兒乞人的營地。

鐵木真在黑夜中著急的在眾

裡尋他被擄走的妻子，只見周圍營帳火光四起，逃竄的人盲目的奔跑著，還有將士們燒殺擄掠。遠遠望見一個憔悴的女子背影，他急著大喊：「李兒帖！李兒帖！」那人回過頭。

他下馬奔去停在女子面前三步，她流著眼淚說：「湖水依舊，草依舊，你也依舊。我等你好久了。」

鐵木真又聽到這令他如此熟悉的話語，不禁熱淚盈眶：「讓妳久等了。」

月光火光中，兩人卻好似四下無人般的相擁，宛若化作一尊永恆擁抱著的雙人石像。

戰爭結束後王汗領兵返鄉，而鐵木真則與札木合一同結伴覓地放牧。兩位年輕人也因這次的戰勝揚名，引來更多的人群依附在他們的聚落裡，儼然成為草原上最強大的勢力。

　　這些日子以來，兩位英雄少年彼此惺惺相惜，白天一起工作，夜深便一起秉燭夜話，有時也同床共寢，如此快意的生活令鐵木真似乎忘了身世之謎，直到孛兒帖臨盆的那一天。

　　鐵木真掐指算算孛兒帖被篾兒乞人擄去共九個月的光景，他忽然迷惑了，這兒子懷胎十月該是他的骨肉，但孛兒帖被擄去後才懷的也不無可能，或許這孩子是因戰亂顛簸而早產。瞬間，好似遺忘的身世之謎，便隨著這孩子的誕生一同降臨在他的肩上。

　　他好想就這樣拋下所有家人與部眾們一個人離去，這時札木合拉住了他，看穿了他的心事：

　　「何苦？我箚答闌氏的祖先也是被搶來懷孕女子所生的兒子，現在我還不是好好的站在你面前。你忍心拋下這些敬仰你追隨你的伙伴嗎？他們難道比一個虛名更

不值嗎？更何況，就算不為了也速該，你難道不想見到草原上不再有戰亂的那一天嗎？沒有人會懷疑你的身世，除了你自己呀。」

「就是我自己呀！自己都搞不清楚了，哪還能成就眾人？一切不過是空談。」

「鐵木真，忘了自己吧，有些事比你自己更重要。你若接受那身世，你就是蒙古先祖的直系後裔，名正言順的做蒙古的共主。若不接受，成就草原的依然是你，而不只是那些虛名而已。你有才能，我會助你的。」

鐵木真聽進了安答札木合的勸誡，暫時拋棄了對自己身世的困惑。

他雖然重視他的第一個孩子，但他更害怕面對這孩子時，心中所浮現的那些過去，以致他終生雖讚賞這個兒子，卻也始終對他的身世耿耿於懷，甚至幫他

取名叫做朮赤*。

　　平和的日子過了一年半，鐵木真與札木合近來更加親密，常常見二人徹夜不眠的在蒙古包裡，飲著馬奶酒聊著草原上的生生不息。

　　這日，鐵木真與母親訶額侖、孛兒帖同進早餐，訶額侖見鐵木真眉頭深鎖心事重重，便加以詢問。鐵木真答道：「昨夜札木合跟我說了一番話，但我不明瞭他的意思。他說：『依山紮營利於牧馬，依水紮營利於牧羊。』您知

放大鏡

＊朮赤　成吉思汗鐵木真長子之名。朮赤一詞在蒙古語中亦代表「客人」之意。成吉思汗共有四子（依長幼順序）：朮赤、察合臺、窩闊臺、拖雷。成吉思汗將他西征而來的領土分成四地封予四子。長子朮赤封於欽察汗國，在今俄羅斯鹹海與裏海北部。次子察合臺封於察合臺汗國，在今中亞五國地區及伊朗北部。三子窩闊臺封於窩闊臺汗國，在今俄羅斯中亞巴爾喀什湖附近。窩闊臺在成吉思汗死後被推舉繼任，掌管整個蒙古帝國。四子拖雷封於蒙古本部。後來拖雷的兒子旭烈兀建立伊利汗國，東起阿母河和印度河，西面包括小亞細亞大部分地區，南抵波斯灣，北至高加索山。

道他想說什麼嗎？」

平時沉默的孛兒帖說道：「札木合的部族富裕，牧馬的人多；我們的部族窮困，牧羊的人多。」

「所以？」

「該是分別的時候了，他日札木合必會對我們不利。他的暗示，我解讀如預言。」

誰也沒料到的分歧就這樣突兀的發生了，在沒有任何跡象之時，兩個部落首領分道揚鑣。這巨變勢必掀起草原上的一番波動，原本聚集在同一地的各部落，面臨了要跟隨札木合還是鐵木真的重大抉擇。

其中，原是札木合親屬的豁兒赤突然轉投鐵木真的帳下，此舉令鐵木真底下的將領們多有質疑，但具有巫師資格的豁兒赤聲明他是依據長生天的預兆改投明主，他說：「昨夜長生天顯靈託夢與我：一頭慘白色的牡牛繞著札

木合奔跑而撞上篷車，折斷了一
支犄角，牠對著札木合怒吼著：
『還我的角來！還我的角來！』又
從鐵木真身後走出一頭無角的黃
牛也吼著說：『天地神祇相商，命
我跟隨鐵木真。』就拉著一巨大篷
車跟著鐵木真走向一條平坦的大
道。」

「又是預言？怎最近甚多預
言？」鐵木真暗自思量著。

「篷車代表著蒙古國呀，長
生天此意甚明，是天地認定鐵木
真為國主，請鐵木真即刻即汗位
之意。我的歸降也不過是順天之
意，而我此來獻吉兆，我能獲得
什麼獎賞？」

當時的蒙古人對長生天存有
敬畏不疑的信仰，眾人對豁兒赤
一言自然深信不已，深深認為此
真是吉兆。這番預言也給予鐵木
真從身世迷思出走的方向，長生
天似乎認定真主是他這人，無關

是誰的兒子。他心中千轉萬迴雖不露於表卻也按捺不住欣喜，呵呵笑道：「若真如你所言，我為國主之日便封你為萬戶侯。」

「不只萬戶侯，到時我還要在國中挑選三十位美麗的女子做我老婆，還要你對我言聽計從。」

此時鐵木真更開懷大笑，處在這樣的興頭上雖感些許不悅，但仍開心的答允了豁兒赤的要求：「漢人皇帝七十二嬪妃，三十個老婆也算不得多，行！」

不久之後，鐵木真在眾人擁戴下果真被推舉作為蒙古的可汗，號成吉思。這其中不乏許多的權謀運用。身為蒙古先祖長子後裔而最具即位資格的主兒勤人因較不得民心而在汗位會議中被逼就範，此舉令主兒勤的首領不滿，埋下之後處處作對與反叛的惡因。但無論如何，鐵木真的確是坐上了可汗的寶座，麾下的部

屬立下了誓死效忠的誓言:「吾等願立鐵木真做可汗。我們願在戰爭中做先鋒,擄來的美貌姑娘要先獻給鐵木真,圍獵時獲得的野獸要先獻給鐵木真。若我們不遵守號令,鐵木真可以拋棄我們的妻女、沒收我們的財物,把我們的頭顱拋棄在荒郊。」鐵木真確實鞏固了他的勢力,踏出了他未來成就偉大事業的第一步。

第一次坐在為可汗特製的寶座上,看眾人跪拜立誓的那一刻,他感受到心底原本並不明顯的權力慾望浮現,在那一刻,他深深為彷彿眾生真的臣服在他腳下而感到滿足。耳際忽也有另一個聲音如警示敲響,且又帶來疑惑。

「如果沒有豁兒赤的預言,我還會成為可汗嗎?我離開了札木合,李兒帖的預言就不發生,那麼還算是預言嗎?預言好像是

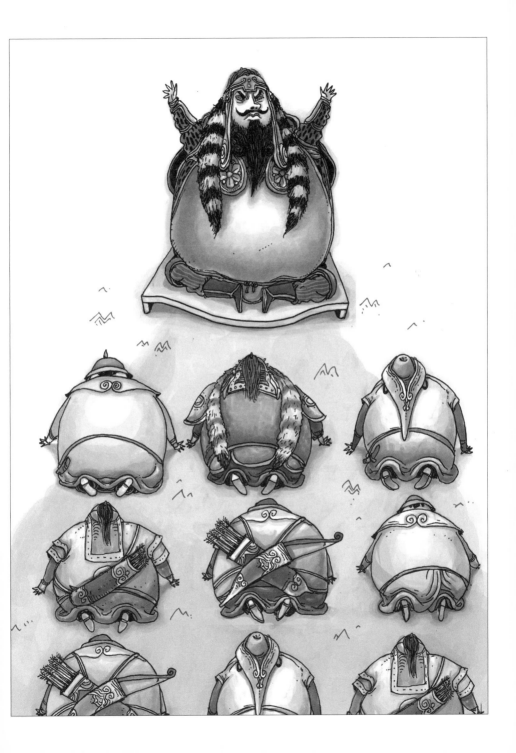

一個路標指明方向，而我們就此上路。如果不依預言上路，還會成真嗎？這裡面到底是人為因素多還是長生天的意志多?」鐵木真暗自疑惑著的同時，眾人宣讀完了他們的誓言，「而誓言又是如何呢?」鐵木真心中疑惑著。

他彷彿聽見帳外遠遠傳來那令他耳熟能詳的歌聲:「……時代走馬催促旅人上路……。」

鐵木真即汗位後，草原上就此分裂成為王汗、札木合與成吉思汗三股主要的龐大勢力，其中王汗兵力雖最強，但地處偏遠兼是鐵木真的義父與札木合的義兄，採中立立場不主動過問草原事。而傳言札木合在與鐵木真分離後性情大變，與昔日好安答鐵木真決裂不相往來且暗中較勁。

一日，成吉思汗的手下大將者勒篾忽然急馬來報:「臣下萬死，適才因保衛我們的財產與札

木合親弟給察兒產生糾紛，一個失手將他砍死於草原上。」

「此糾紛必使札木合親自引大軍前來。快做準備！」成吉思汗正色道，表情沉穩不見驚慌。果然數日後探馬來報：「札木合聚集草原上與我軍為敵的部落，組織為十三部成包圍狀正朝我而來。」

成吉思汗立時也將軍隊分為十三部準備迎戰，但在軍事會議上他聲明：「敵強我弱，我們勝算不大。兼之札木合曾為我的好安答，我對他且留情面。此戰目標乃是為撤退而戰。」

於是兩大勢力在斡難河上游附近爆發了一場有名的十三翼之戰，戰況雖驚天動地但未長久持續。成吉思汗一戰即輕易的撤走，而札木合也未追擊。名義上成吉思汗在這場戰爭中吃了敗仗，是他的戰史上屈指可數的幾次敗仗。

　　札木合戰勝後，在俘虜群中撿選出了那些背叛他的人，那些當初兩人分離時背棄札木合而跟隨鐵木真的人們。他準備了七十口烹煮全羊的大鍋，將這些人於慶祝大勝的宴會中丟進鍋中活活煮熟，在眾部落首領前示威，立誓說:「今後若有人背叛，就如眼前一般遭受如此酷刑!」

　　此酷刑反令獲得勝仗的札木合勢力減弱，許多部眾並未因畏懼而死心跟隨，反而因此背棄了不仁的札木合，轉投人稱禮賢下士的鐵木真去。

　　十三翼之戰似是符合了孛兒帖當初對札木合的預言，但結果卻是誰也預料不到，此戰看來是札木合獲得了勝利，但實際上卻是札木合衰落與鐵木真壯大的一個轉捩點，也是另一個並不言說的預示。

5

忠

　　這時宋朝偏安江南，而霸據中原的金國得悉漠北的大草原上鐵木真稱汗的消息，於是遣使發文邀請成吉思汗與王汗一同討伐在邊疆蠢蠢欲動、騷擾不斷的塔塔爾部，一方面想去除這心腹之患，一方面也藉機探查這北國新興部落的實力。塔塔爾人曾毒害了成吉思汗的父親、王汗的義兄也速該，對這兩支勢力來說能與強大的金國聯手不啻為一次復仇的良機。於是王汗與成吉思汗聯盟由北進軍，金國則跨越長城，南北夾擊殺得塔塔爾人四處逃竄。

　　擁有蒙古先祖直系血親的主兒勤人，因先前與鐵木真爭奪汗位失利而心懷不滿，此次，在面對共同仇敵塔塔爾人的戰役中，

非但避不出兵，甚至在鐵木真精兵盡出、老營空虛的時候偷襲。此舉令鐵木真震怒，原先敬於主兒勤人首領是族系裡的長輩而處處忍讓，此刻卻是有個大好名義得各部首領支持，誅殺這不孝不義的主兒勤人。

在已漸強大並獲各部支持的成吉思汗部隊馬下，主兒勤人潰不成軍。鐵木真親自殺進主兒勤的營裡，遠遠望見一人奮勇的殺出一條血路，讓主兒勤人的首領逃出，並單刀孤身斷後，抵抗不斷圍上的勇士。鐵木真調派部隊追擊那逃逸的首領，並慢慢駕馬靠近那勇猛的孤單英雄。

「慢！」他喝阻了持刀槍正欲圍上的兵士們，親自下馬走向前笑道：「木華黎，你那不義的首領棄你而去，你已盡忠，今日可降我否？」看見眼前這曾令他留下深刻印象的人，面臨大險而無絲毫

懼色，鐵木真不禁憶起當初第一次見到此人的場景。

那時這人著粗布衣服，以一名使者的身分出現在他的大帳裡。

「你這守門的奴隸，見可汗豈能不跪拜！」者勒篾大聲喝道。

「我是主兒勤人的奴隸，又非成吉思汗的狗，豈能像你一樣跪拜！」粗衣男子神色堅毅，不疾不徐鏗鏘有聲的說。

「你有求而來，豈能不拜！」者勒篾又喝道。

「主兒勤勇士有高貴的血統，我被命為使者代表主兒勤人，此來是要求成吉思汗放人並非請求，為何要拜？」

「待我教訓你這膽敢對可汗不敬的頑石！」者勒篾怒拔出彎刀。

「慢！」鐵木真聽著雖心中微微不滿，卻對此粗衣男子不卑不

兀的態度欣賞不已，緩緩走下寶座從者勒篾手中接過刀來，一個轉身，白晃晃的刀從粗衣男子面前如陣風般迅速削過，分毫不差的停在粗衣男子頸間的皮膚上，沒有一點損傷。

「好！好！」底下的眾人不禁暗讚。粗衣男子自始至終瞪大了雙眼，眉宇之間未曾流露一絲懼色。

「你叫什麼名字？」鐵木真眼角飄過讚賞的笑意一問。

「我名為木華黎。」

「木華黎，不如離開奸險的主兒勤人降於我吧！」

「我景仰可汗已久，深知可汗為英明之主，心中偉大的理想與我不謀而合。但此刻我尚為主兒勤人的奴隸，縱主兒愚昧我豈能不忠？自小父母長輩諄諄教誨，堂堂大丈夫豈能做個違德之人？若有緣他日自當為可汗驅

使。現在還是請可汗放人吧。」

從那時起，鐵木真深深記住這人的名字與他的忠誠。

木華黎沒有回答，手上的刀依然挺立。

鐵木真見狀命士兵們放下肅殺的兵器，牽過一匹馬來笑道：「你若不願降，就騎這匹馬去找你主子吧。但此刻想必他已被我軍擄走在回營的路上了。」

木華黎又沉默片刻，忽然跪倒：「從此我願守可汗仁義之帳門。小人願此後死忠可汗，為可汗統一草原、讓和平到來的偉大遠景供奉微力。」

後來有勇有謀的木華黎成為成吉思汗手下的四駿＊之一，深受器重，更在成吉思汗親自西征時，被任命獨自經營對金國的攻

放大鏡

＊四駿　成吉思汗開國猛將中有四駿、四犬，其中四駿又稱四傑，分別為博爾朮、博爾忽、赤老溫、木華黎。

略。

　　不久，曾在十三翼之戰獲勝的札木合又聚集了來自蒙古草原四面八方的部落，準備與鐵木真決一死戰。這裡頭甚多鐵木真的死敵，包括曾迫害過他們的泰赤兀人、被擊散的塔塔爾人等，這些人對鐵木真恨之入骨。富有謀略又深具領袖氣質的札木合縱然性情大變，但仍是反鐵木真聯盟統帥的不二人選，於是被推舉為此聯盟的可汗，號古兒。此聯盟勢力龐大甚至超過成吉思汗或王汗的部隊，兼之統帥札木合為昔日最熟悉鐵木真的安答，令鐵木真不敢小覷，急忙向王汗說明利害關係，邀其一同抵抗。

　　兩軍在夜裡對峙叫囂於闊連連湖平原畔，翌日清晨，由札木合營裡的薩滿教巫師作法，在草原上招來烏雲暴雨狂風大雪，頓時昏天黑地，成吉思汗、王汗聯軍

中哀嚎恐懼之聲四起。札木合見
彼軍混亂正欲領兵殺入，不知是
否長生天真認為鐵木真為真主，
空中風勢突然一轉，雨雪反向朝
札木合軍飛去。

　　鐵木真趁機趕忙重整旗鼓，
先命弓箭手漫天飛矢一陣，後率
本部騎兵隊如一把劍般直刺敵軍
心臟地帶。札木合軍遇此衝擊亂
上加亂，死的死傷的傷，兵敗如
山倒，古兒汗反鐵木真聯盟就此
崩解，各部首領並沒有對古兒汗
採取救援行動，反而一見敗勢就
紛紛各自領隊四處逃命。而札木
合更在逃亡的路途中，趁機掠奪
這些曾與他結盟的部落，此舉不
但傷了各部落的元氣，更讓札木
合喪失了其古兒汗的地位，從此
成為四處奔走的亡命之徒。

　　大軍追擊，鐵木真在斡難河
旁追上了泰赤兀人，兩軍初會，
鐵木真軍勢如破竹取得了壓倒性

的優勢，鐵木真一馬當先領兵持續進擊，但忽然一支勁箭劃破長空射中他的頸部，鐵木真一咬牙將箭拔出，立時鮮血泉湧不止，劇痛下，他向前一仆，昏厥在馬上。向來被士兵們敬為戰神的鐵木真突然倒下，行伍裡霎時眾聲譁然軍心動搖，一旁的將領者勒篾當機立斷鳴金退兵，攙扶鐵木真回營止血療傷。

當夜，鐵木真躺在床上，額冒冷汗昏迷不醒。除了身負如戒備重任的將領外，合撒兒、別勒古台、木華黎、者勒篾與其餘幾位心腹將領皆齊聚一旁，手足無措的兀自焦急。連日征戰，幾位將領早已疲憊不堪，卻又擔心鐵木真的安危而不捨離開帳房，只得隨地躺下略事休息，唯者勒篾一人跪在鐵木真榻下照顧。

此時，者勒篾忽見鐵木真傷口化膿且逐漸腫脹，忙準備碗盆

並以口就傷處反覆吸吮膿血。只見盆內血從一開始黑紫帶黃膿的顏色漸淡，終於恢復正常的鮮紅血色。

忽而聽見鐵木真無意識的微弱聲音：「好渴……好渴……」者勒篾看著虛弱的鐵木真，想找些較有營養的飲品，但出征為求迅速沒攜牲畜，因此無乳可取，且在鐵木真三令五申行軍禁止飲酒後，連滴馬奶酒也沒。

「這該如何是好？」者勒篾靈光一閃，頓時褪去身上軍甲衣物，只著一件貼身短褲在黑夜裡偷偷摸進泰赤兀人的營地，尋來一桶凝固的馬乳。回營後連衣服都沒換上，只急忙找了些水稀釋對開，一口一口親自餵鐵木真服下。

沒過多久，鐵木真悠悠醒轉，見者勒篾只著短褲的餵著自己，地上還有一盆污血，不禁發

言詢問。者勒篾只得將自己如何吸吮傷口瘀血及摸進敵營尋來凝乳之事一五一十的說了。鐵木真已然清醒，擔心的說：「者勒篾呀，若你被泰赤兀人抓去，我該怎麼辦哪？」

者勒篾深深感動，語帶哽咽道：「臣萬幸得可汗重傷仍如此擔憂，小人早已想到此節所以脫去身上衣物。如此若被發現時，我就可辯稱：『我原為投營而來，怎料被逮著，鐵木真震怒，剝去我身上衣物欲殺而快之。我趁機溜走，於是僅著短褲而來。』這樣一來對方必然信矣，我再尋找良機偷馬逃回。」

「再問你一事。你知我重傷如此，何不藉機殺我自立門戶或帶軍投敵去？還肯做親口吸吮髒血此等污穢之事？」鐵木真溫言道。

「除博爾朮外，跟隨可汗的

將領中屬我最久。當年父親帶我投可汗而來只身背一只打鐵的風箱，那時可汗雖貧卻不改其志，兼之仁義俱備，實令小人欽佩不已。又可汗待我不像個奴隸，反而像是極要好的朋友，年輕時，常與大家一同飲酒高歌，沒有尊卑之分。更何況若無可汗重用，只怕我今日還是個處處漂泊打鐵為生的工匠。可汗不只是個好主人，更是我此生最重視的朋友，如此好友終生難尋，只唯恐可汗離我而去，我怎麼可能叛逃？而能保得好友一命，吸吮髒血又算得了什麼？」

仍跪著的者勒篾一吐肺腑真言，眼淚不自主的緩緩流過黑黝的臉龐。

鐵木真見狀，本欲下床親自持衣為赤裸的者勒篾穿上，奈何重傷後無力起身，只得深吸一口氣，慨然道：「有你這樣如此為我

奉獻的朋友，真是長生天賜與我的福氣。」

者勒篾後來身為蒙古國四犬※之一，一路忠心耿耿伴隨鐵木真，為他不可多得的幫手。

隔日，鐵木真雖傷重但仍硬撐著出現在戰場上以提振軍心，泰赤兀人雖頑強抵抗，但從日出到天黑，一波接一波的攻勢令泰赤兀人只能勉強支撐。

在兩軍歇戰的夜裡，曾在鐵木真少年時幫助他逃離泰赤兀人追擊的老人鎖兒罕失剌帶著兒女前來投降，身旁還有一位年輕人。鐵木真開心迎接，更急著探詢：「你們可知泰赤兀人營中一箭射傷我的是誰？」

這時年輕人答道：「傷你之箭不是別人，就是在下瞄準可汗所

放大鏡 ※四犬　成吉思汗手下四名驍勇善戰的猛將，分別為速不台、忽必來、者勒篾、哲別。

發。若可汗怒賜我死，不過濺污一掌之地；若可汗赦免我的大罪，我願為可汗衝鋒殺敵！」

鎖兒罕失剌不知情由，因這年輕人乃是他力勸之下才投降而來，深怕鐵木真一怒下斬殺此人，急忙在一旁向鐵木真解釋：「這人叫做只兒豁阿歹，乃是泰赤兀人中百發百中的神箭手。我不願這年輕人如此身手被埋沒，在走投無路之際特勸他前來為您效力。望可汗原諒他的過錯。」

沒想到鐵木真卻哈哈大笑：「凡戰敗而降者多半對這種事隱瞞，而你卻毫不避諱直言說出。好！真是深具大丈夫氣概，值得交個朋友。更何況那箭強勁迅疾，竟射得我不及閃避擋禦，萬軍之中還能朝我而來，我還未見識過得以相比之箭，不愧名之為神箭手，此等能人當可為我軍大將之翹楚。這樣吧，你今後就改

名為哲別＊，為我領兵殺敵。」

在哲別的心中不禁將鐵木真與泰赤兀人的首領做了對比：泰赤兀人首領因他失手急欲問罪，而原該有深仇的鐵木真卻盡釋前嫌。比之處在彼營不得志，鐵木真初見就放心讓他擔當大任，他一手得以自負的箭藝終於有發揮之時，哲別頓時有如遇上伯樂般狂喜，開心謝道:「謝可汗寬容大度赦免死罪，更猶如我之再造父母，從今必死心塌地為可汗效命。」

哲別後來果然以其赫赫戰功讓他的名字名垂青史，在西征中為成吉思汗征服了波斯、俄羅斯……等等國家，成為成吉思汗的開國功臣四犬之一。

放大鏡 —— ＊哲別 哲別於蒙古語中亦是「箭」、「神箭手」之意。由此也可見成吉思汗對其箭術的讚揚。

6 責　任

　　征服了主兒勤人、泰赤兀人後，鐵木真接著又討伐了曾毒害父親也速該的塔塔爾人。這當然不是一場易與的戰爭，但鐵木真復仇的渴望使他依舊取得了勝利。

　　殺父之仇不共戴天，面對這些從他身邊一輩子奪走父親的塔塔爾人，鐵木真下令：「將身高高於車軸的塔塔爾男子徹底殺盡。」

　　對父仇的執念，使得鐵木真進行了他有生以來最殘酷的一場屠殺。不同於戰場上不是你死便是我亡的生死關頭，他這次面對的是一群已無反抗能力的囚犯。

　　還未脫下鮮血淋漓的盔甲，雙手的血漬也未洗淨，剛結束戰事的鐵木真就如此一句話決定了這群人的生死。

就在此時，遼闊的蒙古草原上除了成吉思汗，僅剩下另二股勢力：義父王汗與乃蠻部的太陽汗。

在蒙古的統一大業上，成吉思汗再清楚明白不過：有一天他終究必須面對草原上最巨大的王汗勢力。雖然目前自己已稍具規模，但一與父輩王汗幾十年的累積相比，假若硬碰王汗只是以卵擊石。

不過，成吉思汗心中所想的是，力量的差距懸殊或許還是容易克服的小事，難的是如何能與王汗兵戎相向。於情，王汗不斷幫助他建構自己的勢力、奪回他的愛妻孛兒帖，他現在舉兵倒似恩將仇報；於理，王汗是他的義父，他豈能不孝？

成吉思汗一路走來發動戰役都以復仇為名，對抗曾迫害他的人，那使得他的軍隊順理成為仁

義之師。如今他若對抗王汗將名不正言不順，只是破壞草原的和平。因此，他只能等待，等待一個理由，一個師出之名。

　　就在等待的同時，成吉思汗亦不斷與王汗東征西討，收服草原上一些殘餘的小部落，並且向王汗提出聯姻，希望能讓王汗信任他的忠誠，不至懷疑他的野心。

　　「義父方面絕對不成問題，唯一的阻擾將來自他的長子桑昆。我與桑昆素來不合，更何況聯姻後我必然大大威脅桑昆在王汗勢力中的地位。」成吉思汗非常了解情勢，仔細叮嚀他派出的使節：「無論如何，想盡辦法也要使義父答應這門親事。這任務就交給你了。」

　　使節很快的便完成了任務，並回報：「怪的是，王汗方面答覆的相當迅速，前後不過三天，且

桑昆方面居然沒有任何刁難，只邀請您至許婚宴上商討細節。」

帳外彷彿又隱隱傳來熟悉的旋律唱道：「堅石已碎，深水已涸，時代走馬催促旅人上路，噠噠、噠噠、噠噠……」

「大汗，這怕是陷阱。」親信們告誡著。

「嗯……事情進行的太過順利必有玄機，但我於情於理皆不能不赴約。各位放心，我自有安排，總之隨機應變。」成吉思汗道。

於是他只帶了幾個親信赴許婚宴。半路上忽然一探馬帶來一封沒有署名的急報：「鴻門宴、大軍、速退！」信封內還有一塊鹿骨。成吉思汗見著這塊鹿骨，二話不說下令掉頭就走。回營後並連夜通報各級將領，轉移陣地撤往合蘭真沙陀之地備戰。

「看來桑昆不只成功阻擾聯

姻，更早一步說服義父藉機剷除我軍。與王汗一戰雖早知天定，但未必來得太早……」成吉思汗仰天盤算著。然後招來一干將領，取來馬奶酒斟與眾人：「各位弟兄，王汗軍隊十倍於我，明日我軍毫無勝算。但眾弟兄不必擔心，敵軍內我有內應，危急時必有活路。這一戰先求小勝示威，而後請各位設法逃逸四散保命。」舉起酒碗又道：「他日若有緣有分，我們再聚於班朱尼湖畔。我們乾！」語氣豪壯，但眼中盈盈似有淚。

果然，翌日雙方交手，成吉思汗小勝前三回，但王汗大軍立即重整旗鼓成包圍之勢，成吉思汗軍即陷入苦戰，傷亡迅速加劇。眼見便要寡不敵眾，此時竟一如成吉思汗所言，有一路兵馬在重重圍困中真衝出一條血路以供殘兵逃亡。

　　合蘭真沙陀之戰無比悲壯，成吉思汗的軍隊四散，一些驍將也不知生死去處。鐵木真回頭望見殘餘無幾的部隊，心中萬念俱灰。只為了統一大業，弟兄們生離死別，到底值得否？

　　「我可不可以放棄統一換得弟兄安好相聚？」

　　但他似乎走上了不歸路。他必須肩負起眾弟兄們共同的抱負，更有許多英魂已然犧牲；他是部眾夢想的寄託，他踏著眾多屍首前進，他早已沒有放棄統一的權利。更何況，他有一個好弟兄還在敵營中水深火熱，暗中幫助他、等待他完成當初共同許下的夢。

　　只是這些人現在都不在他的身旁，他孤單絕望的領著一些殘兵走向漫漫長路。只得把希望都寄託在班朱尼湖畔。他只能讓自己想著，至少這一戰他有了能向

王汗宣戰的名義。

　　所幸這一趟絕望希望共存的路途並不太久。當鐵木真終於抵達約定的班朱尼湖畔時，在那等著他的並非只有青山綠湖，還有許多依舊相信他的十九位將領，以及其餘弟兄們正往此地趕來的消息。

　　當晚，軍中因散亂而貧困不堪，毫無酒肉糧食。鐵木真只得命親弟合撒兒捉來一匹野馬，召集十九位將領開設一場寒酸的野宴。上有星空下有篝火閃爍，眾人傍湖圍營火四散而坐，亦像星辰錯落但有秩序。一隻烤熟的瘦弱馬腿，十九人皆啃食小小一口，沿圍坐之圓傳了一圈後回到鐵木真手上，鐵木真凝視馬腿良久，忽而豪氣的撕咬下一塊肉吞食後高舉馬腿:「鐵木真有幸在此困頓之時，弟兄們仍來到班朱尼湖畔聚首，心中感激何止千萬。

義父負我、桑昆負我，逼得我們如此潦倒。如今蒙古統一勢在必行，你們的夢想就是我的責任。我鐵木真在此立誓，定不負眾人所託，必完成大業以報眾生死弟兄。」

「今日只瘦馬，他日有肥羊。我們啃過同一隻馬腿，我將與你們同甘苦共命運。鐵木真終生不忘今日共食之情，不管各位未來跟我不跟，我都同樣感激。本該一醉，可惜今日無酒……」鐵木真走近湖水，一捧泥沙混濁的湖水：「就讓我以湖水當酒，敬各位。」語畢，仰天飲盡。

只見十九位各有所長的文臣武將們此時臉上熱淚縱橫，紛紛起身走近湖水，無一不接連捧起渾水，如鐵木真般一飲而盡：「我們的命早已是大汗的，當初承諾便是責任。再飲此渾水，你泥混我泥。」

　　「好！好！」鐵木真激動得除了好一字外再也說不出話來。摟著眾弟兄，大夥一捧接著一捧飲下摻著沙的湖水，好似美酒當前。湖水亦醉，豈只酒醉人？

　　成吉思汗的軍隊一邊尋回其餘失散的將士兄弟，一邊往呼倫貝爾高原前進。不久之後，成吉思汗已恢復八成的兵力，且這一切都是暗中進行著，王汗還誤以為成吉思汗已潰不成軍不知遊蕩何方。

　　「經合蘭真沙陀一役，義父王汗勢力與我方恩斷義絕，如今該是我們還擊之時。但敵強我弱不宜硬碰，兼之王汗尚且不知我軍集結，敵明我暗，可採智取並奇襲之。」合撒兒提出戰略。

　　「好分析！正合吾意。」鐵木真頻頻讚許:「王汗勢力龐大，其內集團雖多但其心各異，可採分化之計。不如合撒兒你走一趟，

假降義父?」

「分化派遣暗使便可，何必讓合撒兒犯險?」有臣建言。

「合撒兒是最佳人選，功用主要在於鬆懈彼方心防。當日若非桑昆忌憚我而進讒言，義父王汗不至攻打我軍，彼戰必定讓義父心中有愧。若合撒兒投靠，念在昔日父子之情，義父肯定不疑有他。」鐵木真頓了頓，續道:「且一面讓桑昆以為我軍淪落，連我親弟都只能孤身投靠，便不再需擔心我軍，亦可安桑昆疑心。至於分化之計，我早有安排。」

「如此，除我便不做第二人選。」合撒兒躍躍欲試。

「那就麻煩你了，帶少許精銳部眾扮潦倒狀將更可取信於王汗。另外，此行你可先找我舊日拜把的安答——札木合，試著動之以情。但有一個條件便是這人你得想辦法直接與他碰頭，千萬

不能透過任何人找他。」

　　不久之後，成吉思汗收到了兩封密函。

　　一封為合撒兒所寫，信上就如成吉思汗所預料，敘述著：王汗果對其所言信之不疑，連帶桑昆原本因擔憂成吉思汗而緊繃的面容，都因他的投靠而鬆懈下來。並且桑昆提議將在某年某月某日正式盛大舉辦慶典，名目上是歡迎合撒兒的投奔，但或許實情是桑昆為了慶祝擊潰成吉思汗此大敵所舉行的慶功宴。

　　另一封，與上次赴宴半路的馬上急報一般神祕，沒有署名且帶有塊鹿骨。信裡的訊息又是簡短非常：「萬事已俱備，只待東風。」成吉思汗見此，面容上露出了一抹滿意的微笑。

　　於是，在王汗的慶功宴上，大夥沉浸在歡天喜地的勝利美酒中，一碗敬過一碗、一罈接著一

罈，酒意早有八、九分。忽然之間，火把照亮了另一端，有一列二十人隊伍步伐整齊的眾口同聲道：「我們也要酒！我們也要酒！」絲毫不被阻擋的直直闖入王汗座前。領頭那人將手中形狀詭異的巨大長矛高舉空中，宛若鬼神再世：「我是成吉思汗！這種場合怎能少得了我！」順手抄起王汗桌上的一碗酒，一飲而盡：「義父，失敬了！這是我敬你的最後一碗酒。」

正當眾人還剛從醉生夢死中一陣驚愕，王汗左右侍衛也才正拔刀戒慎，成吉思汗續道：「你們營地已被包圍了。投降者不計前嫌，抵抗者格殺勿論！」

此時王汗早已嚇破了膽，只有桑昆提刀站出：「大膽！你這敗軍之將還敢來丟人現眼。大家把他擒下！」

身後將士紛紛拔刀。但是整

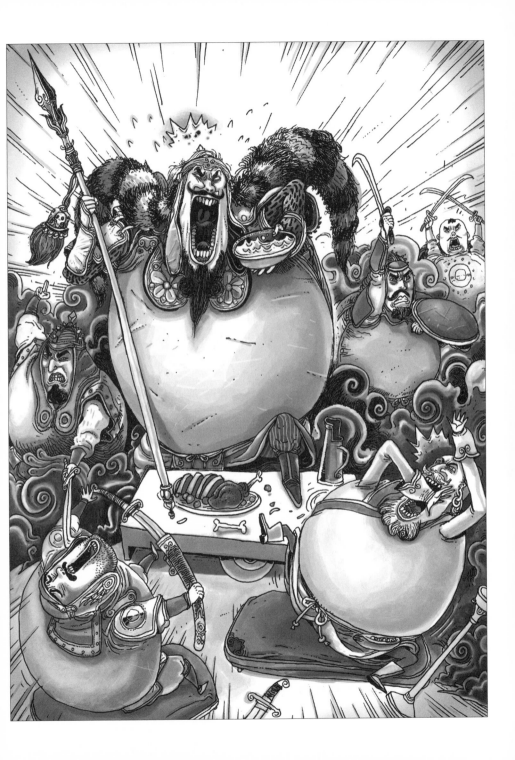

個戰場上軍士早有三成醉得不省人事，又有三成聽見成吉思汗天神般氣宇非凡的宣告後，早已棄械投降。只有桑昆與一些王汗的貼身將領及部隊為了保護王汗誓死抵抗。又因這從天而降的戰事來得太突然，各死忠部族亦只得各自為戰。原本歡欣鼓舞、氣氛歡愉的慶典，剎那間變成一個刀光交鋒的戰場，原本的營火火把延燒成人間煉獄的熊熊火焰，早已分不清躺在地上的人們是醉酒還是早成屍體。

王汗的軍勢畢竟龐大，雖然成吉思汗奇襲的戰略成功，兼之有合撒兒的內部策應，但這仍是一場五五波的戰爭。戰火一連維持三天三夜，最後成吉思汗終於拿下王汗陣中最驍勇的將領，將代表自己勢力的九纛大旗插上山丘最高處。此舉促使成吉思汗軍士氣大盛，沒半個時辰各處都傳

來勝利的捷報。

　　成吉思汗擊潰了王汗，至此取得了他此生最大的一次勝利。他從寄居王汗威勢下的小勢力，歷經敗仗、逃亡、重聚後經此一役，終於取得三分之二的天下，成為草原上最龐大的勢力。西方雖仍有乃蠻太陽汗，但是成吉思汗清楚從今天起，乃蠻那懦弱的王根本不足畏懼。草原統一已是遲早的事。

　　夢不遠，想到這成吉思汗心中不禁一陣舒坦，他總算沒有愧對他的父母、更不負弟兄寄望所託，他也可以面對那些為他的夢想而犧牲的英魂們。當年他在朋友面前所講過的大話，如今即將不再是個空口白話的白日夢，而是一個就要實現的事實。這些年他時時刻刻盤算、使他幾乎不曾安眠的肩頭重擔即將可以卸下。那條越陷越深、沒有歸途的道路

已快到終點，而眼前一片光明。

一切一切都只剩下最後簡單一步。他將要負了責。

7

角　色

　　一個渾身血污的囚犯。

　　他被幾個強壯的衛士們押進了成吉思汗的蒙古包裡。他衣衫襤褸身形憔悴，披頭散髮著一張臉彷彿只見一雙眼瞳炯炯，陰影中只有眼部透出的目光炯炯，狠毒彷彿餓虎隨時蓄勢待發。你若望進他的瞳裡，當真懷疑自己見著一個殺盡天下人的惡魔。

　　成吉思汗令左右衛士退下，只留此囚與他自己獨留帳中。就在最後一名衛士退出帳幕之際，因犯惡魔般的眼神瞬間少了殺氣。但是依然堅毅。

　　這雙惡魔之眼無比複雜，少了殺氣後彷彿也見著天使，眼裡有澄澈、有堅定，也有深沉和困惑，而最多的卻是矛盾。

　　「札木合安答！這一別是幾

年，無恙否？」身著鑲金邊淨白衣袍的鐵木真，毫不避諱的張開雙臂，想給粗布髒衣的札木合一個擁抱。

「這是戲嗎？」札木合冷冷的答，沒有迴避這個擁抱，也沒有任何肢體回應，就像朽木只是站著。

鐵木真在一剎那間不自覺的愣住了。即便再怎麼短暫、他再怎麼掩飾，他也知道老友札木合絕對不可能沒察覺。那問句是個試探，多年來的經歷讓他明瞭這時候最好的回應不是回答：「你說呢？」而是反問。

札木合選擇靜默。

「總之現在你是王，我是囚。你說怎麼便怎麼。」好一會兒札木合才打破沉默。

「那我們慢慢聊吧。」鐵木真拉著札木合對坐小桌前，為他斟上一碗馬奶酒：「你變了，我都不

認識你了。」鐵木真其實也知道人怎麼可能不變，連他自己都變化得異常迅速，所謂成長？這句早已聽膩的老話只是個引言，試圖引出札木合的話語，假如札木合還有心。「先不談交情，聊聊這些年我們分頭在外，你到底發生些什麼事？」然後先乾為敬。

「你很聰明，我沒有看走眼。你見招拆招的反應能力出乎意料，所以我今天才會回到這個帳幕中，成為你的階下囚。」

「現在我們平起平坐，我還為你斟酒。你再說你是階下囚，我可要生氣囉。」

「最好就是你一氣之下把我給斬了！伸頭一刀縮頭也是一刀，死了快活。」札木合戒心依然很重，完全不吃鐵木真嘴上這一套，毫不客氣的乾盡一碗酒，繼續說道：「你先別廢話，你到底要不要聽我說？」

　　當初鐵木真與札木合決定分別的時刻，在那平和的草原上（見第 4 章〈誓言與預言〉），兩人那時候尚年輕，面貌清秀乾淨，鬍鬚也還未長齊。同是對坐帳幕中。

　　「你到底要不要聽我說？」

　　「我只是不懂為什麼一定要分別。好不容易相聚了，兩人一起力量不是比較大嗎？」年輕的鐵木真口上的情緒毫無遮攔，或許因為面前是他最好的安答。

　　「草原上我們兩人力量再大不過滄海一粟，分頭行事你明我暗反而容易。現在各部的團結只是假象，各部首領其心各異，他們心中的盤算，不是你這一路孤軍奮戰上來的熱血青年所能了解的。」

　　「我們所希望達成的不是草原的統一嗎？為何我們就要先分裂？」

「這分裂不是真的分裂。草原上的道理從來沒變過，勝者為王敗者為寇。一山不容二虎，你與我在競爭汗位上遲早將有交手的一天，這一天早早到來比我們到最後水火不容時好。到時候時勢將會推你做你最不願做的決定。」

「我可以相信你嗎？」

「你可以不相信我，但是你一定要相信我們都會往蒙古草原的統一路上邁進。這是我們共同的夢想。」

「嗯……所以我們再度相見之時就是……」

「我們夢想完成之時。」

「這是約定嗎？」

「這只是一句臺詞。就像依山紮營利於牧馬，依水紮營利於牧羊。」

「依山紮營利於牧馬，依水紮營利於牧羊……」鐵木真若有

所思。

　　兩人下巴都長出了長長的鬍鬚。回到一王一囚之間的對話。

　　「後來我就安排巫師豁兒赤去投靠你。你那時不是懷疑自己的身世？他那一套預言式的說詞應該可以去除你對自己能力的疑慮。比起你的作為，身上流什麼樣的血根本不重要，就跟天神預言一般，那都只是一種可以編故事的穿鑿附會，讓你在這世上所扮演的角色有了某種背景深度。當時你只是還不了解這一點，且太鑽牛角尖於身世的迷思。所以我叫豁兒赤編了一套說詞去幫助你找回你自己。」

　　「於是照著我們的劇本，豁兒赤那長生天託夢的預言，也助我即位為成吉思汗。」

　　「那預言只是最後一根稻草而已。接下來就如你所知，我舉兵向你宣戰，那場戰役人家好像

叫它十三翼之戰是吧？」

「分裂為了要逼各部族首領表態，開戰為了明瞭誰對我忠誠，更為了讓草原知道我們鐵木真與札木合徹底決裂，對吧？」

「這樣一來，我未來要潛伏於其他與你對抗的勢力就會名正言順，事情就容易許多。那場戰役還只是小戲，我真正難演的戲從戰後才開始。我找出那些牆頭草，及早剷除這些未來統一草原的阻礙。然後……」札木合說到這裡停了下來，好久好久，都沉默不語。

「然後怎麼？」鐵木真問。

此時，札木合藏在桌下的雙手不住的顫抖著，面容依然平靜非常，但瞳孔之中滿溢著一種打從心裡的懼意。札木合似乎想起了什麼。

跟隨札木合多年的下屬都不知道他打哪來的主意，一反常態

的，竟然準備了七十口烹煮全羊的大鍋來對付俘虜。

「哪時札木合變得這麼殘暴？」這是他們共同的疑惑。

這是個歡慶十三翼之戰勝利的慶典，也是個處置俘虜的儀式。即便是在黑夜，七十口大鍋的爐火熊熊依然旺得燈火通明，也映照出眾俘虜恐懼的臉龐。

人們飲酒高歌、彈琴跳舞，熱鬧非凡，都等著親眼目睹「煮活人」這項此生前所未見的酷刑，只等著札木合一聲令下。札木合則看似孤傲的一人遠遠站在高臺上，身上的黑布長袍、披散的黑長髮，與黑夜毫不衝突的融為一體。

沒有人知道札木合隱身黑暗中、遠遠的孤立著，是因為怕被別人看穿一些他無法掩飾的細微動作。札木合從不怕見血腥，但在戰場上殺無數的敵人與處置手

無寸鐵的俘虜不同,更何況是要用如此殘暴的手段。

為了成就與鐵木真共築的夢想,札木合必須要化身成殘暴的魔頭以對比鐵木真的仁義,他必須完成鐵木真所不應做的骯髒事,他必須學會使用「恐懼」的力量。

但他不是天生冷血無情,即使他多麼精明,第一次演起這種戲碼也必然破綻百出,他藏不住顫抖、藏不住眼淚,更藏不住無奈。因為他只是必須,所以他遠遠的躲在黑暗中。

鼓聲越來越急促,然後倏的停止。

「殺!」札木合的聲音高亢一如上了戰場般的激昂,卻沒有人聽見後面微弱顫抖的尾音:「……吧。」

俘虜一個接著一個的被丟進沸騰的煮鍋,哀號聲如人溺水之

時斷斷續續、卻不絕於耳。只是再淒厲都被隱沒在鼓譟的人聲中。黑夜、火焰，人命在一種歡欣鼓舞的氣氛中被慢慢凌遲。而札木合再不忍也得逼自己觀看全程，以塑造一種無情的冷血形象。

等到全部的俘虜都被丟進鍋中烹煮殆盡，沒了聲息，札木合眼淚也早已流乾，勉強鼓起中氣說出那最後的臺詞：「今後若有人背叛，就如眼前一般遭受如此酷刑！」

「札木合！札木合！札木合！」全場又是歡聲雷動。

忽然間，不知哪裡傳來一聲長長的狼嚎，鬼哭神號、淒絕天地，壓過所有人聲，怨念之深傳進每一個人的內心，瞬間草原上所有聲音就連風聲都戛然而止，只留下火光與黑影幽幽。

札木合終於明瞭，這就是恐

懼的力量。他彷彿覺得那聲狼嚎便是他喊的。

鐵木真見著札木合眼裡的那股恐懼，好似瞬間明瞭了札木合的這一段內心故事。但理解歸理解，感同身受也終究不比親身經歷。鐵木真永遠都無法得知札木合當時確切的情感，只能試著揣摩，試著在腦海裡扮演當時札木合的角色。

「我如此的恐怖統治，因為強烈的對比，使你禮賢下士的仁義形象更加鮮明。於是便有很多真心為蒙古的有為有夢者投你而去。這都是在我計畫中的事……只是如此一來，我身邊留下的，除了一些親信外，盡是一些奸邪之輩。這就是我真正難過日子的開始。」

「嗯……環境對人的影響真的很大……」鐵木真語重心長的附和卻不著邊際。

「接下來你也知道，第二次我為了讓你免於東西奔波來回征戰，再度招集草原上其餘反抗你的勢力。十三翼一戰助益甚大，草原上從此眾所皆知我曾是你最好安答又徹底決裂，兼之我於此役得勝，打著此名號，許多人不請自來讓我省事很多。開戰後反而容易，憑你的戰略智慧，只要我露點破綻求敗不是難事。這一戰之後，你要收拾那些餘孽便易如翻掌了。」

「雖然沒你說得那麼容易，但如果沒有你的確大費周章得多了。那麼，讓你日子難過的原因是？」鐵木真看來還沒放棄柔情攻勢，嘗試打開札木合的心。

「你不會想知道的。」札木合給他吃了個閉門羹。

「所以之後，你表面上便成為想伺機向我報仇的亡命之徒，尋找夠大的勢力投靠，比如說回

頭找王汗，以及王汗滅亡後的太陽汗。你怎麼敢找王汗？他是我的義父，與我關係匪淺。」

「不敢也得敢。不然你能先越過王汗去攻取乃蠻太陽汗嗎？雖然太陽汗那懦弱的廢物根本不值一提。」札木合沒好氣的說:「幸好我與王汗早年還有些交情，但他基於我表面上與你交惡的關係，收留我但不重用。反而是他兒子桑昆向來不服你，更擔心你會取他的地位代之成為繼承人，聽過我與你的恩怨傳言，便主動接近我。正是愛搞小團體的小人性格。」一陣訕笑。

「世間事怎麼做都行，但若要人信服便得名正言順。我知道你完全沒有名義攻打你義父，桑昆這種小人心態正好可以利用。我只要在旁稍微加油添醋，關鍵時候煽動一下，便可輕易使他搞些小動作。所以他趁你提出聯姻

的時候想設鴻門宴，我只是沒料到，他居然也說服王汗一起發動大軍想順勢侵占你的勢力。」

「所以就有了第一封密函。我一見著函裡的鹿骨便知是你了。」

「不錯嘛！你居然還記得。不過你不記得的話你早就沒命了，哈哈哈！」雖然札木合仍然在嘲弄間打著哈哈，但嘴角似乎隱隱中露出了一絲滿足的笑意。

觀察入微的鐵木真當然也見著了，他知道這個微笑象徵著札木合漸漸被他所撼動，札木合並非像他現在表面上、言語上所見那般鐵石心腸，只是因為某些緣故使得他很難相信人。而鐵木真更知道是時候了，打鐵要趁熱：

「當然還記得，我永遠都記得。你還記得當初我們初結識的情景嗎？」他順勢不經意的露出他頸項間所佩戴的項鍊，動作如此的自

然。他知道目光如火的札木合一定會看到。

鹿骨刻成的狼頭項鍊。

當年，他們在一隻倒地的兔子面前相遇，兔子身上插著兩支箭。

「這是我射的！」

「我射的才對。」

「我先射死牠的，牠是我的！」

「明明就是我先看到的，你是打哪來的髒鬼？」

「你敢打人！」

兩個約莫五、六歲的小鬼，都揮起小小的拳頭，你一拳我一腳的招呼在彼此小小的身軀上。一會兒兩人絆倒了都跌在地上，還沒爬起又扭打起來，翻來滾去。誰想要爬起另一個又牢牢抓住他的小腿，拉拉扯扯兩個人又倒在地上，扯平。

「男子漢要打就用男人的方

式對決，這樣打成何體統！」一個氣勢雄壯的男人聲如洪鐘的說，語氣威嚴堅決卻帶著微笑。那是鐵木真的父親，也速該。

「是！爸爸。」

另一個小鬼頭也震懾於也速該的氣勢，兩人迅速爬起擺出姿勢，準備用蒙古摔角一決勝負。兩人打得難分難解，好不容易鐵木真勝了一回，卻又輸了第二回合。

當兩人正準備要開始繼續之時，也速該突然喊停：「不錯不錯。難得有人可以跟我孩子打成平手，以後定不失為好漢一條。你叫什麼名字？」

「我叫札木合。」

「好！兩個都跪下吧。」也速該一刀割斷兔子的動脈，讓札木合鐵木真兩人各飲了一大口兔血：

「長生天在上，今日札木合、鐵木真二人於此結為兄弟。同飲過

一隻兔血，從此同生死不相棄。」

「同生死不相棄!」兩人異口同聲的說，跪拜並交換彼此頸項間的墜鍊。

札木合套上的，是貴族鐵木真自小佩戴、用貴重的銅鑄成的蘇魯錠長矛。而鐵木真套上的，則是奴隸世族札木合僅有的、用鹿骨雕刻而成的狼頭。

「狼頭嗎?哼。戴在你身上果然就是不一樣。」札木合依舊冷冷的說:「在你身上彷彿適當無比，你就是狼的頭啊，帶領著大家。你可知道它在我們氏族中的意義?它代表著我們只是卑微的鹿，必須用一生之命效忠於蒙古之狼。那是繫於頸項的責任，那是臣服的沉重。不管我們是誰，那是我們氏族的命運!」

「你是怎麼了?當年你不是相信命運的人哪，你還勸我人定勝天。今日所有都是我們自己掙

來的，無關名分啊！」

「你不會了解的。」

「吼！」鐵木真再也按捺不住，不顧其高貴的身分，迅捷的站起身一拳結結實實打在札木合的臉頰上：「你說啊你！」

札木合默默的撐起身子，不吭一聲。鐵木真追著：「你不說我怎麼會了解！你是誰？你可是我拜把兄弟，你是札木合耶！」一拳接著一拳打在札木合的身上。

「啊──啊──不要碰我！」札木合眼中剎那間出現一種野獸般的兇狠眼神，好似要殺了鐵木真：「要來便來吧，來分出當年未分的勝負！」一拳重重的往鐵木真的心窩打去，打得健壯的鐵木真跌退了好幾步。

「我能說什麼？我能對我身邊的人說嗎？我能說我們的計畫嗎？我能說我一點都不想要虐殺俘虜嗎？我什麼都不能說。我不

能被這些敗類發現我的憐憫，我不能被這些鼠輩發現我的脆弱。為了你，為了我們的統一大業，我可是拋棄人性的惡魔啊！我可是成吉思汗所最應該對付的兇殘魔頭啊！我什麼實話都不能說！」札木合每講一句，便奮力的打在鐵木真的身上。

「你終於不再閃避，正面回擊了。來吧！」鐵木真笑著。

於是兩人又像當年的小鬼一樣，毫無章法、難看的在地上扭打著，直到兩人再也沒有力氣，像兩具屍體一般攤著。

「誰贏了？」

「沒有人贏了。你以為這些年來我就好過嗎？」

「那麼，蒙古贏了。蒙古終於統一團結了，蒙古人贏了。」札木合喘著氣說。眼神恢復了澄澈。

「真的嗎？」

「真的吧？回到這個帳篷中，代表我們的夢實現了吧？」

「是吧。你所做的一切都是值得的，至今你也該有所報償，該是與我共享榮耀的時候了。」鐵木真笑了。

「不了，我真的累了。這麼多年來的戲我演太久了。我已經卸不下我的面具，也或許這個面具才是我真實的面目。我想是時候了，所以我才會甘願回到這裡。若不是我束手就擒，我想逃你們誰也抓不到我的，哼！」

「你的意思是？」

「是時候結束我的人生了。」

「你的好日子才正要開始，我才正要開始回報你。你可與我共享這個草原，你可與我共坐一張寶座，你可與我共有這萬人之上的權力，你可與我共同驅使這群為我賣命的悍將們。這不是時候結束你的人生。」

「你聽聽！這像是以前的鐵木真會說的話嗎？我們的努力該是為了草原的統一與和平哪，哪時是為了我們自己的權力了？」

「……」鐵木真說不出話的沉默。或許他深深不悅卻不想與札木合爭執，或許是感慨除了札木合，從未有人膽敢對他如此直接。

「你要向大家說實話嗎？你不可能的，你也不行。大家心目中，我早已是萬惡不赦的魔頭、你早已是道德完美的聖人。你想想看，大家能接受你隱瞞他們這麼多年嗎？還會服你嗎？到時難道又要再起波瀾？為了維持我們的夢，還是讓這個祕密隨我一切盡付於塵土吧。而我的死將帶給你至高無上的地位。」

「戲一定要這樣完結嗎？」

「我的劇本就是這樣寫的。」

「我們這一路走來有劇本這

種東西嗎？」

「我們之間沒有。但是我有，每個人都有，人生如戲。但是我這次真正唯一能隨心所欲決定：要不要繼續演下去。」札木合說完，居然流露出一絲似乎不該屬於他的懦弱眼神，宛若氣若游絲時仍求饒般的懇求著：「求你以成吉思汗之名助我完成最後的心願吧，好安答？」

「……你這是沒得商量的意思？」鐵木真發呆了好一會兒，連飲三碗酒後，默默的點了好似千斤重的頭。

沉重需用明亮的愉悅包裝。

歡慶蒙古終於統一的慶典，同時也是處置札木合的儀式。場中人人歡欣鼓舞，沒有人對將死的札木合有丁點同情或憐憫。他們都樂見這場好戲，都恨不得能向這個在眾多勢力中反覆的小人吐口唾液。

　　而鐵木真遠遠的獨自站在象徵權力的高臺上，接受眾人歡天鼓舞的祝賀。他穿上錦帶白袍，束起了發亮的烏髮，面容發光。

　　「我們唯一的共主成吉思汗，鐵木真！」不知哪冒出的聲音領頭喊道。

　　「鐵木真！鐵木真！鐵木真！」其餘的眾人隨之整齊附和，聲勢雷動九天。

　　「札木合啊……你從來都不真想聽我說，你從來都不曾知道我真想要什麼。我不要你為我所做的一切犧牲。我只是想跟我的朋友們一起過活啊，我們如今如此到底是為了什麼？你能了解嗎？我永遠的好安答。」鐵木真暗自在心裡嘀咕，遠遠的與札木合的眼神交會。可是那麼遠，他看不清札木合眼中到底是因了解而柔和了，還是依然故我的堅決。只聽見從札木合蠕動的嘴中傳來

如此熟悉的歌聲:「堅石已碎，深水已涸，時代走馬催促旅人上路，噠噠、噠噠、噠噠……」

「殺!」時刻一到，鐵木真也只能吶喊著同樣的臺詞，但又有誰聽見了他一字迴聲裡所隱藏的顫抖:「……吧。」靜靜看著行刑，然後札木合死去。

他已沒有淚，他聽著那首未完的歌，就這樣沉默的成為了蒙古國的共主，真正的成吉思汗*。但天色從此暗了下來。

放大鏡 ─── *成吉思汗　在蒙古語中，「成」含有堅強、偉大、強大之意，「吉思」為眾數、最大，故「成吉思汗」為眾人的、強大的可汗，或者是最偉大的可汗之意。另外蒙古語中，「成吉思」與「騰吉思」同音，「騰吉思」為海洋，故「成吉思汗」也可以理解為海內可汗之意。

8 錯　亂

　　蒙古草原已經和平了，但我心中卻有股狂暴不斷的竄流著，找不著出口。這種強烈對比，使得表面的草原和平好似一種諷刺的假象。

　　我一直睡不好。總從惡夢中驚醒，總做著無數種難以捉摸、混雜的夢。混雜著過去的所有場景與人物或敵或友。角色如此錯亂，前一秒敵人拍拍我的肩膀鼓勵、後一秒摯友卻一刀往我的面門砍下。

　　我喜歡白色的潔淨光明，不喜歡黑色的沉鬱，卻在夢中總穿著黑袍。那是札木合習慣的顏色吧？我記起。

　　我最常夢到我站在虛無飄渺空無一人的草原中指揮若定，卻不知在指揮什麼，芒草嗎？我穿

著自己不甚喜歡的黑袍，對著風與月喊著殺吧殺吧，卻只瞧見烏雲片片飛來遮住了月光。還有一個從未見過的灰髮白鬚老人，搶走我最喜歡的白裳穿去，維持著三步的距離，若即若離的站在我身後，南方。

「他到底想要幹嘛？」我心中好焦慮。

我是成吉思汗，蒙古草原已經盡是我的土地。我們曾冀望草原和平，可是一路走來我早已不習慣坐在平靜的王座上，我依然想馳騁在我的坐騎上。我不想聽他們報告草原上發生了什麼故事，我早習慣握著刀槍寫故事。我在帳內靜不下來，我總蠢蠢欲動。

我的弟兄們呢？他們很和平，他們很安靜。可是，我猜想他們每個人臉上都寫著：沒有活力。

　　不知道為什麼，我突然渴望見著鮮紅的血與火，最好能夠美豔的噴灑、燃燒，遮住那總嘲笑著我的日月。而那個灰髮白鬚老人是誰？

　　但是我怎麼這麼冷靜。

　　所以我向南方的金朝宣戰了，不為了什麼。理由這種東西是最好找的。

　　「還記得我們先祖的恥辱嗎？忘了俺巴孩汗被金朝狗虐殺的仇嗎？我們蒙古人難道是好欺負的嗎？我們蒙古人，蒼狼與白鹿的後裔，是多麼高貴！豈容被瞧不起！去向那些金朝狗們討回公道去！」你聽到了吧？於是我們伐金。

　　其實我一點感覺都沒有。只是我的人民信任我，而且種族意識這種東西是最容易被挑起的，哈哈。

　　然後我就可以看到所謂的滿

城鮮血了。真開心。

除了少數的兩千兵士被我派去鎮守西邊防止謀變外，我像下一步棋一樣輕易的出動全軍（約十來萬吧我想，反正數字不重要，重要的只是「全軍」）。當然，為了勝利（沒有人會想要打輸），我多派給了每個騎士三、四匹馬。

你問我為什麼要浪費馬匹？

我們蒙古人最厲害的部隊就是遨遊四海的騎兵了，而且兵貴神速不是亙古不變的道理嗎？每人數匹馬可以換著騎，讓疲累的馬減輕負擔，在不斷的行進中獲得休息。你看到重點了嗎？就是那「不斷的行進」，休息也在行進，所以我們的軍隊移動力特別快。你們看過一個畫面嗎？在迅速奔騰、重心不穩的馬背上，兵士們毫不拖泥帶水的跳躍換馬，跳躍於半空的一刹那根本彷彿飛

翔了一般，令人愉快。那是我最引以為傲的美妙特技！不是從小在馬上討生活的蒙古人根本學不會。

一切都只是為了美，為了好玩。

好啦，其實最重要的只是因為我想要快一點見到滿城鮮血。

很迅速的，經過幾場輕鬆的戰役，積弱已久的金人根本不是我們的對手。不久，我便初次見著了金狗們所謂「北方最後防線的堅固堡壘」──中都。第一次見著時我如此驚訝：堅固的石頭打造的高牆呀，我的馬要如何跨越？

守城的金狗狂笑：「哈哈哈！你機動野戰再強，遇到城牆也是沒輒了吧！」

但我不沮喪。那也將不會是個障礙。

在我心中已經沒有這種辭

彙，尤其在札木合死去之後。我還怕殺了誰嗎？我還怕冤枉誰的性命嗎？這一切都只不過是場遊戲。

「把沙包堆高吧！」我如此命令敢死隊，還有俘虜來的戰犯們。而且他們死了之後屍體也變成了沙包。

他們大概不懂我為何如此吧，像送死一樣送上不斷增加的屍體。人命根本無所值。他們將會打從心底懂的，像見著天神般的驚嘆、畏懼，從此臣服於我。只要等到我跨越的那一天，也是我贏了這場遊戲的那一天。

為了這一天，我還訂製了大批的披風發給我的精銳騎兵們。一樣是我所喜歡的白底鑲金邊，只是內搭札木合喜歡的黑布裳。披風做好，算一算時間也差不多了。

「上吧！我精銳的蒙古突騎

們！」

　　遠遠的，他們一字排開白中帶黑的絕對，奔馳揚起一片黃沙塵土如風暴，即將要撲天蓋地的席捲所謂「北方最後防線的堅固堡壘」。

　　「飛吧！」作戰是需要想像力的，想像力可以克服所有的阻礙。高牆也可以化作平地。

　　我領著頭，所有的蒙古突騎們跟著我，踐踏著無數屍體堆成的山丘當作斜坡，並且駕著馬、跳躍！

　　守在城頭的金狗們好沉默，應該是驚訝到說不出話吧。我喜歡這種禮讚，最好的讚嘆莫過於沉默。

　　我開始想像他們所見著的畫面：他們從天而降。陽光從人與馬背後灑了下來，好刺眼！讓人看不清楚，只聽見「嘶──」的一聲，他們在飛。他們穿著黑衣

像鬼、披著白袍又像神，還有金邊閃著光，這是神蹟吧！除了神誰還可以像如履平地般的跨越我們費盡千辛萬苦築起的高牆？他們是從天而降的神！

想到這些我就好開心。哈哈哈！在這一刻我就是神！見過神的人都得獻出鮮血，都得死。

於是他們都死了。我簡簡單單的贏了這場遊戲，他們的死是報酬。

攻克中都。然後金狗們急急忙忙的來找我求和，就在這剎那，我突然覺得無聊。我不想跟他們玩了。

於是我把陪金狗們玩的這個遊戲，讓給了我心愛的大將：木華黎。木華黎實在是個可愛的蠢蛋，如此忠心使我放心。我微笑著，面容輕鬆的跟他說：「我封你為國王！並讓你使用我的九纛大旗號令。要好好玩啊！」我不知道

他為何此時臉上盡是嚴肅與惶恐，這應該是個很開心的事吧？然後他跪拜著說：「定不負成吉思汗所託！」這畫面真讓我笑了，我只是想讓他好好享受這場遊戲而已。他總是把事情都看得太嚴肅，學不會放鬆。為什麼他總看不到，敵人身上噴出的鮮紅血柱是多麼美麗？

　　我留了足夠的軍隊讓木華黎好好的經營，那塊介於我們的蒙古草原與黃河之間的土地。我必須去尋找另一塊可以遊戲的地方。

　　誰知這麼巧，有馬飛報消息：「花剌子模※國捕殺了蒙古的商隊，奪取了他們的所有財物。」

　　真是太好了！花剌子模雖然

放大鏡 ────

※花剌子模　位於今日中亞西部地區的古代國家，在阿母河下游與鹹海南岸。約為今日烏茲別克、土庫曼兩國地區。

位在非常遙遠的西方，不過我早就想去看看那日落之地是長得什麼樣。太陽紅似火高掛藍天，它歇息的日落之地應該也是一般豔紅吧？不如就帶著大家看看去。假若它不真的豔紅，我的軍隊也足以讓他們用血用火染盡滿城。

「我們可以讓這種事情發生嗎？花剌子模殺人越貨，搶奪我們辛苦賺來的財物，他們今天殺的是你我兄弟、明天殺的就會是我或你。我們不能姑息他們！惡例不可開！我們必須讓他們受到應有的制裁！走吧弟兄們，讓他們知道我們蒙古——蒼狼與白鹿的子民，不是好欺負的！」所以我又念恨不平、聲淚俱下的發表了出征詞，又一次輕易的讓大夥隨著我而走。

而且，我忽然發現，征戰的旅途中，我似乎睡得比較好。真開心。

　　快！快馬加鞭！數十萬匹馬噠噠蹄聲為我踏出了一條通往西方的平坦大道。我們蒙古又將以迅雷不及掩耳的速度震驚所有以常識判斷的敵人們。所以他們總來不及做好迎戰準備。

　　當我到達時，我失望了。我以為這是日落之地，但太陽卻依然遠遠的在更西之處，這兒並不豔紅。這般失落使我好焦慮，於是瞬間失去了耐性。

　　而且當見著他們備戰的軍容時，我明瞭他們將丁點不是我的對手。

　　「這場戰爭，越快解決越好。」

　　底下的人一定以為我睿智聰明的知道：我們遠道而來不利久戰。

　　其實，我只是想越快解決這場無聊的戰役越好。此趟遠征的目標將只會是為了那以火與血染

紅滿城的美景而已。

　　所以我兵分四路各自為戰，直接一次征掠他們所有的土地。然後集結在那座看來最堅固的城堡：玉龍傑赤*。那就是我要的美景之處。

　　我下達了命令，接著我便昏睡做夢去了。

　　我又夢見了我穿著札木合的黑袍，在黑夜裡指揮著芒草東殺西砍，然後雲又遮住了月光。還有那個穿著白裳、總離我三步遠的灰髮白鬚老人。

　　灰髮白鬚老人到底是誰？我又是誰？

　　放大鏡

*玉龍傑赤　玉龍傑赤是花剌子模國的舊都，橫跨阿母河兩岸，是當時中亞一座十分繁榮的名城。

9 長生

「堅石已碎，深水已涸，時代走馬催促旅人上路，噠噠、噠噠、噠噠……」灰髮白鬚老人唱著，遠遠走近離我三步遠的地方停下。

「你怎會唱這首歌謠？」

「世間事本同一，蒙歌漢謠又有何分？縱使語言不同，意又有何異？會唱又何須驚奇？」

「全真教長春真人之言玄妙，果然名不虛傳。」

「不敢。貧道拜見成吉思汗。」

原來他便是長春真人丘處機。一如我夢中常出現的老人樣貌，灰髮白鬚一身白裳。

「真人遠道而來，可帶來長生之藥否？」

「氣平自然長生。」

「……那真人可解我枕不安眠之苦否？」

「心靜自然安眠。」

放大鏡

*長春真人　丘處機，字通密，道號長春子，中國金朝末年全真教道士。為金朝和蒙古帝國統治者敬重，史實中因遠赴西域勸說成吉思汗減少殺戮而聞名。在道教歷史和信仰中被奉為全真教「七真」之一。成吉思汗多次召見丘處機，請教養生、治國之道，丘處機向他以「敬天愛民、減少殺戮、清心寡慾」、「但有衛生之道而無長生之藥」等作為回應。主張修道教應出家，斷絕一切塵緣，主張清心寡慾即為成仙之根本。著述《大丹直指》中述九種煉丹方法，主張人體中先後天氣可以相交作用結成大丹的原理。另著有《鳴道集》、《攝生消息論》、《磻溪集》等書。

丘處機見成吉思汗的西遊路上，見著不少異域風光趣聞軼事，後來由他的弟子李志常寫成《長春真人西遊記》一書。

丘處機西遊路上亦寫下不少詩篇，反映他當時因一路見著許多兵火廢墟而勸成吉思汗以蒼生為念的反戰思想：

其一

十年兵火萬民愁，千萬中無一二留。
去歲正逢慈詔下，今春須合冒寒遊。
不辭嶺北三千里，仍念山東二百州。
窮急漏誅殘喘在，早叫生命得消憂。

其二

十年萬里干戈動，早晚回軍復太平。
道德欲興千里外，風塵不憚九夷行。
我之帝所臨河上，欲罷干戈致太平。

「我氣平又心靜，愉悅得很。為何仍不能長生？為何仍不能安眠？」我非常冷靜的詢問。

「汝面容訴說之靜非真靜。得道者必然靜與天地同生共眠。」

然後我驚醒，赫然發現我一身污血的站在玉龍傑赤城畔。我的衣裳已是一片血污成黑，我的髮披散零亂，這樣貌不是扎木合當年模樣嗎？是扎木合你回來了嗎？我帶著驚疑回到營帳中，獲報其餘三路軍馬一路燒殺擄掠，成功的集結在此，花剌子模已成一片焦土，僅剩此城未取。

「速取下此城。美景便在眼前。」

四路兵馬集結之力，外加我帶來從攻取金國時所習得的攻城器具與那名為火炮的花火，豈容敵手抗衡？

這花火真是美麗的東西，悅耳節奏的巨大炮聲後，一束一束

如陽之火重重落在他們自以為是的堅固上。那是數不盡的日落，如我所願的燃燒著，讓此地真成為日落之地。任何人或東西都無法抵擋的炸開石牆、炸開城門。

城門開，殺盡之時、焚燒之日。

騎兵們帶著刀與火把，見著會動之物便是一刀，見著不動之物便是火燒。血與火果真染紅了巨大的玉龍傑赤，有火有光沖天宛如太陽在地照亮了整個平原。騎兵們歡欣鼓舞的吶喊。

我好似瞧見當日札木合跟我訴說的場景：熊熊營火環繞，中間大口大口的鍋沸水奔騰，一旁無反抗之力的俘虜們只有死在等待他們。我為你重現了，札木合你可看到了嗎？

「我們又贏了。哈哈哈哈哈哈哈！」

狂笑之間，我好像摔下了

馬。

「敢問真人，可解此歌謠之意？」

「懂，亦不懂。可解，亦不可解。成吉思汗為何而問？」

「因我近來忽然發現，此歌竟似附骨之蛆一樣如影隨形我一生。」

「從何而來？」

「我也不知，原本毫無知覺。直到札木合臨死之前哼出此歌，那剎那才驚覺原來我對此歌如此熟悉。深存我腦海的記憶倒了帶，才一一想起好似好幾幕好幾個場景好幾個畫面裡，都隱隱有這首歌洩流而出。」

「主題曲。」

「是啊，就像我的主題曲。我原本只當它像是草原上常流傳歌謠一般的存在，可是當我詢問時，每個人都不知是從哪裡開始傳唱的、甚至沒聽過。彷彿就我

一人聽過，那些唱過的人都不知哪去了。很詭異吧？」

「萬物依天道而行，事必有因，又何足為奇？」

「可我不知其因也不知其果，豈能不焦慮？」

「常抱焦慮之心，非養生之道，難長生矣。」丘處機心平氣和的說，簡短的話語聽來卻是悠長。

「……如今我已知此歌之曲調、亦知此歌之詩詞，只不知其義。真人可否指教一二？」

「我解是我解，非汝之解。淺顯之詞人人皆知不須解，深邃之詞人人自解亦無從可解。」

「真人字字珠璣，請恕我不能懂。還請真人明白的說。」

「詞之善之美，因每人人生過程不同、體悟各異，而有不同的解讀。而當初創作者雖有其本意，但作品本身自有生命，創作

者亦難插手。流傳後，其本質之真當給傳誦者重新追尋、賦予。所以我有我的解，但我的解釋肯定不是你的解釋。要我指教這件事毫無意義，因我根本不可能指教。」

「……真人之意是是無可奉告？」

「真正的意思是，總有一天你會懂得，不用急。」

我花了七年的時間西征。

可是當我班師回朝，卻聽到西夏聯金對抗我們的消息，我真的是震怒非常。札木合啊，蒙古統一的夢雖然實現了，但是我們卻因此有越來越多的外患威脅著我們的和平，這一路是停不下來了。我忽然感覺到好疲累。這一條不知道到底要走多遠的路，即使走過西方的我還是覺得它漫長。

我摔傷了我整個身體、筋

骨，也好像摔壞了我整個人。原本我是信奉意志力可以戰勝一切的，但不摔還好，這一摔好似把我長年累積下來的疲累全都倒了出來，身體從這時開始反噬。

我這才知道已經五、六十歲的我，不再年輕健壯。可是札木合呀，我要如何維持住我們蒙古統一和平的夢？還是要繼續打仗。所以我馬不停蹄，宣布要親自出征西夏。敢威脅我們的夢的人，全都該死。

但摔壞的身體讓我發現可能活不久了。我必須尋找長生不老藥，可是長春真人卻又一直不給我，盡講些虛幻玄妙不實用的道理。

「不瞞真人，其實在真人到來前就已常出現在我的夢中。所以當我見著真人時，我是嚇著了。我的夢竟如預言，而且真人對我所說的話語，也如同夢境中

的真人一般，總在我三步外。」

「如果我們人都是個獨立的個體，三步是一個人與人之間最安全的距離，甚至話語。」

「哈哈哈，跟刀子進刀子出的距離相比嗎？令我訝異的是真人竟然完全沒有勸我上天有好生之德，勸我不要殺生。」

「人各有命，順天道而行。人再有權勢也敵不過生老病死，跟悠游天地相比，人終是滄海一粟。人都不過只是推動時代的一小顆螺絲而已，只是以不同方式去推動。」

「我不相信！我的夢不能丟棄，我必須為已死去的人守護下去。」

「札木合嗎？」

「……」

「放心吧，不久之後，你的子孫將有一人會繼承你的大業，開創出更偉大空前的夢。」

「真的嗎？」

「而且，我可以告訴你：你的那首歌謠，你們的先祖俺巴孩在死前也唱過。」長春真人說完，哼起歌來飄然而去：「堅石已碎，深水已涸，時代走馬催促旅人上路，噠噠、噠噠、噠噠……」

末　章

　　成吉思汗腦海裡一條回憶的線走到了最末。

　　他躺在軍營中、蒙古包裡、床上，回想起他的戎馬一生。一一想起那些好久都沒有好好回憶的故事們，一一一想著那些陪伴過他一路走來的朋友們。想到他所殺的敵人、想到他所見過的美景、想到他所創造的功過是非。

　　然後他想到了札木合。

　　「我的好安答，我就來找你了。」

　　札木合是最要好的朋友，可是他卻親手處死了札木合。因為那時不能不殺的時勢，因為那些已經發生過的故事，全都比他想要的結局來得重要。他到底有沒有得選擇？成吉思汗非常困惑。

　　然後他想到了長春真人。長

春真人的那些話語。

　　忽然間成吉思汗好像明瞭了什麼，他靜靜閉上了原本困惑的眼。

　　「堅石是碎了，也合了。深水也乾枯過又源源不絕了。即便我們再怎麼做，依舊是在時空之中的旅人哪，的確，誰走了這一遭又真能夠抵抗時代？哈哈哈哈哈……」

　　在擠出最後的力氣一陣狂笑之後，成吉思汗有生以來第一次唱出那首歌：「堅石已碎，深水已涸，時代走馬催促旅人上路，噠噠、噠噠、噠噠……」

成吉思汗

小檔案

1162 年	出生。
1170 年	與孛兒帖訂親。父親也速該被塔塔爾人毒死。
1179 年	孛兒帖被搶,鐵木真攻打篾兒乞人奪回孛兒帖。
1184 年	被推為蒙古的可汗。
1190 年	十三翼之戰。
1196 年	打敗塔塔爾人。
1201 年	聯合王汗,擊敗札木合。
1202 年	被王汗攻擊,幾乎全軍潰散。後與十九位追隨者聚於班朱尼湖畔,立誓完成統一草原的大業。
1203 年	擊潰王汗,取得此生最大勝利。統一蒙古草原指日可待。
1206 年	大會諸王群臣於斡難河之源,諸王群臣共上尊號曰「成吉思汗皇帝」,蒙古帝國於此誕生。
1207 年	再征西夏。
1211 年	派兵進攻金朝。

1218 年　　滅西遼。

1219 年　　攻打花剌子模。

1226 年　　最後一次攻打西夏。

1227 年　　病逝。西夏滅亡。

獻給孩子們的禮物

「世紀人物100」

訴說一百位中外人物的故事

是三民書局獻給孩子們最好的禮物！

◆ 不刻意美化、神化傳主，使「世紀人物」更易於親近。

◆ 嚴謹考證史實，傳遞最正確的資訊。

◆ 文字親切活潑，貼近孩子們的語言。

◆ 突破傳統的創作角度切入，讓孩子們認識不一樣的「世紀人物」。

我的蟲蟲寶貝

一套充滿哲思、友情與想像的故事書
展現希望、驚奇與樂趣的
『我的蟲蟲寶貝』！

想知道

迷糊可愛的毛毛蟲小靜，為什麼迫不及待的想「長大」？

沉著冷靜的螳螂小刀，如何解救大家脫離「怪傢伙」的魔爪？

膽小害羞的竹節蟲阿比，意外在陌生城市踏出「蛻變」的第一步？

老是自怨自艾的糞金龜牛弟，竟搖身一變成為意氣風發的「聖甲蟲」？

熱情莽撞的蒼蠅依依，怎麼領略簡單寧靜的「慢活」哲學呢？

國家圖書館出版品預行編目資料

馬不停蹄的霸主：成吉思汗／余知奇著;徐福騫繪－－
初版二刷.－－臺北市：三民，2010
面；　公分.－－(兒童文學叢書／世紀人物100)

ISBN 978-957-14-4846-6　(平裝)

1. 元太祖 2. 傳記 3. 通俗作品

625.71　　　　　　　　　　　　　　96014307

© 　馬不停蹄的霸主：成吉思汗

著 作 人	余知奇
主　　編	簡　宛
繪　者	徐福騫
發 行 人	劉振強
著作財產權人	三民書局股份有限公司
發 行 所	三民書局股份有限公司
	地址　臺北市復興北路386號
	電話　(02)25006600
	郵撥帳號　0009998-5
門 市 部	(復北店)臺北市復興北路386號
	(重南店)臺北市重慶南路一段61號
出版日期	初版一刷　2007年11月
	初版二刷　2010年2月
編　號	S 781480

行政院新聞局登記證局版臺業字第○二○○號

有著作權‧不准侵害

ISBN　978-957-14-4846-6　（平裝）

http://www.sanmin.com.tw　三民網路書店